Villages et faubourgs du vieux

PARIS

PHOTOGRAPHIES 1917 - 1973

PHILIPPE MELLOT

Villages et faubourgs du vieux

PARIS

PHOTOGRAPHIES 1917 - 1973

Le marchand de vins.

ÉDITIONS DE LODI

ISBN 2-84308-319-2

© ÉDITIONS DE LODI 2001

Imprimé en France par PPO Graphic - 93500 Pantin - novembre 2001

INTRODUCTION

Une guinguette à Belleville, le dimanche soir.

Depuis la création du mur des Fermiers Généraux en 1787, la banlieue de Paris se composait de vingt-quatre communes pour la plupart enfermées dans l'enceinte fortifiée de Thiers (les fortifs !). Construite de 1841 à 1844, son tracé suivrait aujourd'hui nos actuels boulevards extérieurs dits des Maréchaux.

Suite à l'annexion de cette partie de l'ancienne banlieue le 1er janvier 1860, Paris s'est enrichi d'un nouveau charme, puissant… que le récent urbanisme des années 60 et 70 a fait disparaître à jamais.

A travers plus de 300 photographies inédites prises entre 1917 et 1973, retrouvez la magie de ce monde totalement disparu dont l'architecture n'était pas assez exceptionnelle pour échapper à la frénésie des promoteurs.

Dans le même esprit, un port-folio de clichés inattendus de la banlieue parisienne vous fera ensuite rêver de cet ancien voisinage, étonnamment bucolique et heureux.

Après Paris sens dessus dessous, *le* Nouveau Paris sens dessus dessous *(désormais réunis en un seul volume) et* Paris Disparu, *ce volume est le dernier d'une série consacrée aux rues de la capitale. Représentant un ensemble de plus de mille photographies, ces ouvrages auront tenté d'apporter un témoignage sur l'évolution de Paris depuis 150 ans. Un constat particulièrement émouvant et cruel.*

Philippe MELLOT

LES AGRANDISSEMENTS DE PARIS

Alors que le jeune ville de Lutèce n'est encore qu'une île, l'occupant romain décide d'ériger une enceinte, première d'une longue série de fortifications dont les constructions se succéderont jusqu'à celle de Thiers, bâtie de 1841 à 1844. Instrument de défense ou mur d'octroi, ces ouvrages jalonnent plus de vingt siècles d'histoire et d'agrandissement de Paris.

La barrière d'Enfer.

A. LES ENCEINTES À TRAVERS LES ÂGES

1. L'enceinte gallo-romaine

Avant l'invasion Romaine, Lutèce se limitait à ce que l'on nommera plus tard l'*île de la Cité*. En ces temps reculés, seule la Seine faisait office de Rempart. Durant l'occupation romaine, les habitants de Lutèce commencèrent à s'installer sur la rive gauche, sur la montagne Sainte-Geneviève, la rive droite n'étant que marais et désolation. Toutefois, ce début d'expansion fut interrompu par les invasions barbares vers la fin du troisième siècle de notre ère, les Lutéciens se réfugièrent dans l'île, coupant les ponts et construisant, légèrement en retrait du fleuve, une muraille de pierres d'environ deux mètres de haut et d'épaisseur. Retrouvées lors des grands travaux du Second-Empire, des traces de ce rempart – indiquées par deux raies de pavés – sont encore visibles sur la chaussée de la rue de la Colombe.

2. La seconde enceinte ou Murs du Roi

De nombreux historiens s'interrogent à propos de l'existence d'une seconde enceinte qui aurait été bâtie entre le Xème et le début du XIIème siècle, sous le règne d'Hugues Capet, de Robert le Pieux ou encore de Louis VI le Gros. Ce rempart se serait étendu de l'église Saint-Germain-l'Auxerrois à l'église Saint-Merry sur la rive droite, et, de la rue de Bièvre au quai des Grands-Augustins en passant par la *place Maubert*, la *rue Pierre-Sarrazin* et la *rue de l'Eperon* sur la rive gauche. Aboutissant au *quai des Grands-Augustins*, l'enceinte aurait été terminée par une tour fortifiée nommée le Château-Gaillard. Sans doute un ouvrage peu profond et construit à moitié de bois, ce rempart n'a laissé aucune trace tangible mais certains actes y font référence, rendant, depuis peu, son existence presque incontestable.

3. L'enceinte de Philippe Auguste

Décidé à partir pour la troisième croisade, Philippe Auguste choisit de ne pas laisser Paris sans défense en faisant bâtir une imposante enceinte. Sa construction débuta en 1190 sur la rive droite, vers 1200 sur la rive gauche et fut achevée en 1213. En suivant nos repères actuels, son tracé sur la rive droite suivrait les points suivants : Elle débutait avec la tour Barbeau à la hauteur du n°32 *quai des Célestins*, longeait la *rue des Jardins-Saint-Paul* (on y trouve aujourd'hui les plus beaux vestiges) puis se poursuivait à travers le lycée Charlemagne et les *rues Saint-Antoine* (n°101), *de Sévigné, Vieille-du-Temple* (n°61), *des Francs-Bourgeois, Beaubourg* (vers l'impasse du même nom), *Saint-Martin* (n°200), *aux Ours, Saint-Denis* (n°135), *Etienne-Marcel* (n°20), *Mauconseil, Montmartre* (n°30), *du Louvre* (n°13), *Saint-Honoré* (n°148) et *de l'Oratoire*. Traversant la cour Carrée du Louvre, l'enceinte aboutissait alors au fleuve à la hauteur du *Pont-des-Arts* ou se trouvait la tour du Coin qui commandait la Seine. Sur la rive gauche son tracé débutait par la tour Philippe-Hamelin, elle sera nommée plus tard la tour de Nesle, située au niveau de l'aile orientale de l'Institut puis suivait les *rues Mazarine, Guénégaud* (n°29), *Dauphine* (n°44), *Mazet*, la *Cour-du-Commerce, Dupuytren, Monsieur-le-Prince, Saint-Jacques* (n°172), *des Fossés-Saint-Jacques, de l'Estrapade, Thouin, Descartes* (n°50), *Clovis* (n°5, on y trouve des vestiges impressionnants), *d'Arras, des Ecoles* (n°2) puis le coté ouest de la *rue des Fossés-Saint-Bernard* jusqu'à la tour dite la Tournelle, située légèrement en aval du *pont Sully*.

D'une épaisseur de trois mètres à la base et de deux mètres trente au sommet, cette enceinte était haute de neuf mètres et couronnée de créneaux et d'un chemin de ronde interrompu par une tour – ronde – tout les soixante-dix mètres soit environ une trentaine sur chaque rive.

On ignore encore précisément le nombre exact de portes existant sur la rive droite, alors que sur la rive gauche on en dénombre sept. Il n'y avait pas de fossés extérieurs.

Englobant des hameaux, des champs et des vignobles, l'enceinte de Philippe Auguste enfermait quelques 253 hectares. Elle ne fut jamais démolie mais disparut petit à petit, nous laissant cependant de très nombreux vestiges.

4. L'enceinte de Charles V

Après environ 150 ans d'exploitation, l'enceinte de Philippe Auguste devait laisser place à un nouveau rempart dont la construction débuta vers 1360 pour s'achever en 1383.

Le charretier.

Commencée sous l'impulsion d'Etienne Marcel, le prévôt des marchands, elle fut poursuivi sous Charles V pour n'être terminée que sous le règne de Charles VI.

Si l'accroissement des populations était alors importante sur la rive droite, réclamant donc une nouvelle enceinte, ce n'était pas le cas de la rive gauche où l'on conserva l'ancienne muraille de Philippe Auguste. Sur la rive droite, donc, le nouveau tracé était le suivant : Débutant à la tour Barbeau, elle suivait la Seine jusqu'au *bassin de l'Arsenal*, la *place de la Bastille*, le coté est des *boulevards Beaumarchais* et *du Temple*, puis les *rues Meslay, Sainte-Appoline, d'Aboukir* (sur son flanc sud), puis le *jardin du Palais-Royal*, la *rue Saint-Honoré* (n°161), l'arc de triomphe du Carrousel avant d'atteindre la Seine et la tour de Bois et revenir en coude à la tour du Coin de l'ancien rempart.

Contrairement à l'enceinte de Philippe Auguste, on fit cette fois

creuser un fossé extérieur, y compris sur la rive gauche, le long de l'ancienne muraille. On attribua à ces fossés des noms dont la mémoire survit grâce à quelques voies anciennes comme la *rue des Fossés-Saint-Bernard*, la *rue des Fossés-Saint-Jacques* et la *rue des Fossés-Saint-Marcel*.

Enfermant 439 hectares, cette enceinte comprenait sept nouvelles portes sur la rive droite, celles de la rive gauche restant inchangées.

5. L'enceinte de Louis XIII

Malgré quelques tentatives restées sans lendemain, il faut alors patienter jusqu'au règne de Louis XIII pour que soit construite une nouvelle enceinte, de 1633 à 1636, dans la partie nord-ouest du Paris d'alors. Il s'agissait alors d'une suite de bastions reliés par des courtines dont le tracé débutait avec la porte de la Conférence située au sud de l'Orangerie du jardin des Tuileries, elle suivait ensuite une ligne parallèle à nos grands boulevards jusqu'à la porte Saint-Honoré (angle des *rues Royale* et *Saint-Honoré*), puis rejoignait la porte Gaillon (angle des *rues du Quatre-Septembre* et *de La Michodière*), la porte Richelieu (angle des *rues de Richelieu* et *de la Bourse*), la porte Montmartre (angle des *rues Montmartre* et *des Jeûneurs*), la porte de la Poissonnerie (angle des *rues Poissonnière* et *de la Lune*), et, enfin, la porte Saint-Denis (angle des *rues Saint-Denis* et *Blondel*) d'où elle aboutissait à celle de Charles V.

Entre les deux enceintes, l'ancienne muraille de Charles V fut détruite, les décombres servant à combler les anciens fossés.

En 1670, du fait de ses nombreuses victoires, Louis XIV jugea de l'inutilité des fortifications entourant Paris et fit détruire l'enceinte de Charles V. Sur son emplacement, il ordonna l'aménagement d'un " boulevart ", nom-

Barrière de Passy.

mé le *Nouveau-Cours*, travaux qui durèrent jusqu'en 1705. Rapidement adopté par les Parisiens, ce *Nouveau-Cours* devint un magnifique lieu de promenade planté de quatre à cinq rangées d'arbres enrichis de cafés et spectacles. Pour sa part, l'enceinte de Louis XIII vu ses fossés comblés entre 1680 et 1685, la muraille ne devant être finalement rasée qu'en 1754.

Sur la rive gauche, l'ancienne enceinte de Philippe Auguste fut détruite simultanément, mais la création de boulevards similaires à ceux du *Nouveau-Cours* débutèrent en 1705 pour ne s'achever que vers 1761. Les *faubourgs Saint-Victor, Saint-Marcel, Saint-Jacques* et *Saint-Germain* furent alors "enfermés" par ces nouvelles voies nommées *boulevards du Midi*.

Chargés de la perception des droits d'entrée dans Paris, les fermiers généraux purent, entre 1724 et 1760, installer des bornes d'octroi délimitées par les *boulevards de l'Hôpital, des Gobelins* et *de la Glacière (Auguste-Blanqui), Saint-Jacques, d'Enfer (Raspail), du Montparnasse* et *des Invalides*.

6. Le mur des Fermiers-Généraux

Malgré l'interdiction de construire au-delà des limites de Paris – les autorités craignaient une construction trop anarchique et gênante pour l'accès à la capitale – remontant par étapes au milieu du XVIᵉᵐᵉ siècle, l'extension de Paris ne cessait de croître. De ce fait, incapables d'installer durablement un système d'octroi efficace, les fermiers généraux réussirent à convaincre Louis XVI d'abandonner le système trop fragile des bornes et des roulettes – il s'agissait de petits véhicules en bois réservés aux percepteurs –

pour les remplacer par une nouvelle enceinte de pierre haute de 3,30 mètres et longue de 24 kilomètres : le mur des Fermiers Généraux, il sera bâti de mai 1784 à 1787. En aucun cas fortifiée, elle était réservée à l'octroi et devint rapidement très impopulaire. Entièrement disparu aujourd'hui, ce mur suivait les anciens boulevards extérieurs ou petite ceinture dont le tracé est toujours en vigueur :

les *boulevards Vincent-Auriol, Auguste-Blanqui, Saint-Jacques, Raspail, Edgar-Quinet, Vaugirard, Pasteur, Garibaldi, de Grenelle*, les *rues Lenôtre* et *Franklin*, l'*avenue Klébert*, les *rues Lapérouse, de Presbourg* et *de Tilsitt*, l'*avenue de Wagram*, et, enfin, les *boulevards de Courcelles, des Batignolles, de Clichy, de Rochechouart, de La Chapelle, de La Villette, de Belleville, de Ménilmontant, de Charonne, de Picpus, de*

Reuilly et de *Bercy*.

Comportant soixante barrières dont vingt-quatre principales, ce mur était bordé d'un chemin de ronde large de 12 mètres, à l'intérieur, on ne pouvait bâtir à moins de 100 mètres et, à l'extérieur, à moins de 112 mètres… des règles devant permettre d'éviter les fraudes !

Ceinturé par ce mur réalisé par l'architecte Ledoux – il construisit, en outre, sur toute sa longueur, quarante-cinq pavillons, tous différents –, Paris atteignit alors une superficie de 3 370 hectares pour 600 000 habitants.

7. L'enceinte fortifiée de Thiers

Dans la mesure où le mur des Fermiers Généraux ne servait qu'à l'octroi, Paris n'affichait plus, depuis la destruction de l'enceinte de Charles V et de Louis XIII, de système de défense et était, du point de vue militaire, une ville ouverte. Lorsque vint le règne de Louis-Philippe, chacun avait gardé en mémoire les invasions de 1814 et de 1815, un souvenir douloureux d'où naquit l'idée de bâtir une nouvelle enceinte, fortifiée cette fois.

Une commission fut créée le 29 avril 1836 et elle proposa bientôt la construction d'une enceinte fortifiée à la Vauban en pierre de taille et meulière. D'une hauteur de dix mètres, elle devait être renforcée par seize forts avancés : six sur la rive gauche et dix sur la rive droite (dont le fort de Vincennes). Le projet de loi fut déposé par Adolphe Thiers le 1er août 1841 et les travaux furent alors rapidement entrepris pour être achevés en 1844.

Longée intérieurement par une *route militaire*, cette enceinte comprenait dix-sept portes réservées aux routes principales, vingt-trois barrières pour les départementales et douze poternes pour les chemins vicinaux… le passage des chemins de fer n'étant pas

encore de pleine actualité.

Cette *route Militaire* est celle qui donna naissance à nos actuels boulevards extérieurs dits des Maréchaux. A l'extérieur, une zone militaire " non aedificandi " (constructible) de deux cents mètre bordait la muraille (voir pages 168 à 170).

B. L'ANNEXION DU 1ᴱᴿ JANVIER 1860

Depuis la création du mur des Fermiers Généraux, la banlieue de Paris se composait de plusieurs villages dont l'administration paroissiale deviendra municipale à partir du 14 décembre 1789. Les arrondissements de Sceaux et de Saint-Denis comptaient alors vingt-quatre communes :
Grenelle, Vaugirard, Issy, Vanves, Montrouge, Gentilly et Ivry au sud, et, Auteuil, Passy, Neuilly-sur-Seine, les Batignolles-Monceau, Clichy, Saint-Ouen, Montmartre, la Chapelle-Saint-Denis, Aubervilliers, Pantin, La Villette, Belleville, le Pré-Saint-Gervais, Charonne, Bagnolet, Saint-Mandé et

Bercy, au nord.

Exonérées des taxes et impôts divers réservés aux Parisiens (ils payaient des droits sur la plupart des produits : viandes, boissons alcoolisées, matériaux de chauffage et de construction etc.), ces communes accueillaient de plus en plus d'émigrés venus de la capitale, la vie y devenant trop chère et les logements trop rares, tout particulièrement lorsque débutèrent les grandes vagues d'expropriations dues aux grands travaux de Napoléon III et du baron Haussmann.

En 1795, la capitale avait eu un découpage administratif en douze arrondissements, un prélude à l'annexion, dont l'élargissement aux limites de l'enceinte fortifiée de Thiers permit la mise en place de vingt arrondissements, la situation géographique des premiers étant sans rapports avec les nouveaux.

Le 26 mai 1859, la Chambre des députés adopta un projet de loi, il sera appliqué le 1er janvier 1860, portant les limites de Paris jusqu'à la *route Militaire*. La super-

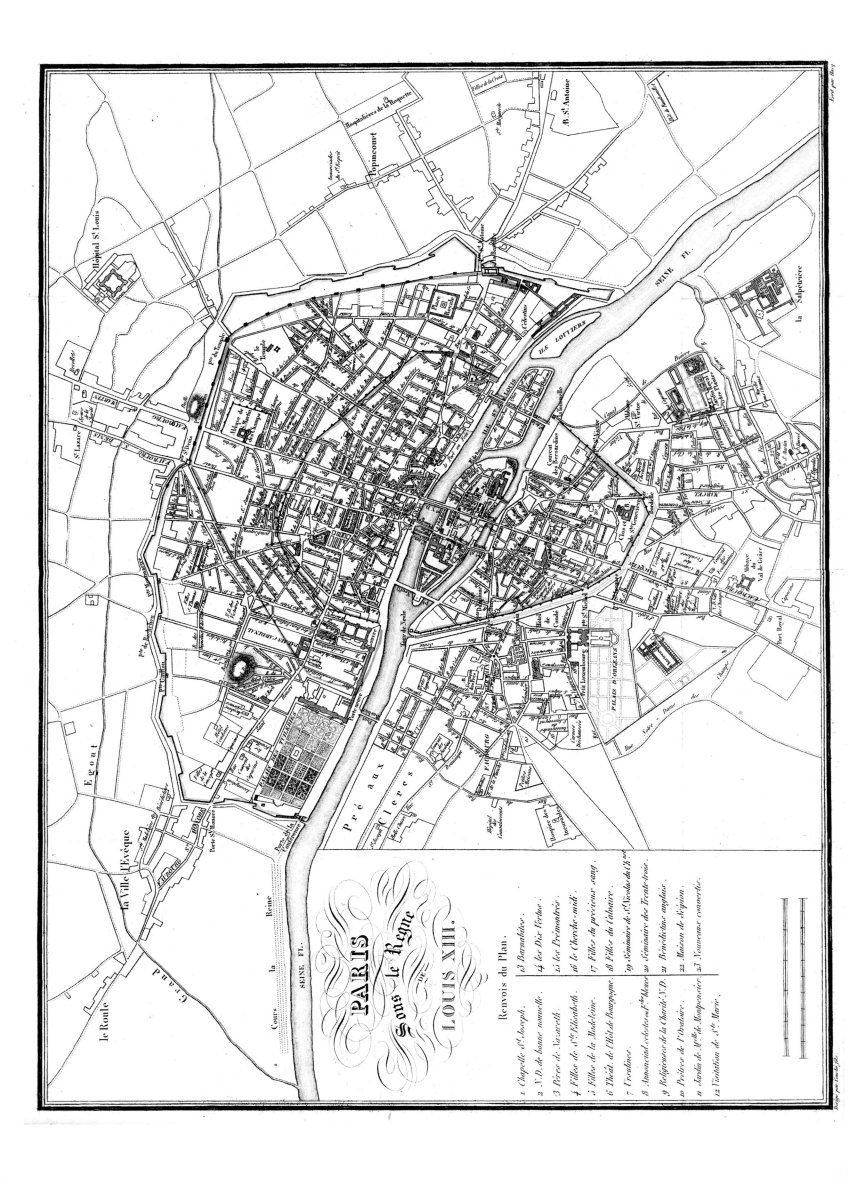

PARIS
Sous le Regne
DE
LOUIS XIII.

Renvois du Plan.

1 Chapelle St Joseph.
2 N.D. de bonne nouvelle.
3 Peres de Nazareth.
4 Filles de Ste Elisabeth.
5 Filles de la Madeleine.
6 Theat. de l'Hôt. de Bourgogne.
7 Feuillines.
8 Annonciad. celestes ou Filles Bleues.
9 Religieuses de la Charité N.D.
10 Prêtres de l'Oratoire.
11 Jardin de Melle de Montpensier.
12 Visitation de Ste Marie.
13 Barnabites.
14 les Dix Vertus.
15 les Prémontrés.
16 le Cherche-midi.
17 Filles du précieux sang.
18 Filles du Calvaire.
19 Séminaire de St Nicolas du Ch.
20 Séminaire des Trente-trois.
21 Bénédictins anglais.
22 Maison de Sytion.
23 Nouveaux convertis.

La barrière du Trône.

ficie de Paris doubla et passa à 7 802 hectares et la population de 1 053 262 habitants en 1851 à 1 825 274 habitants en 1866. De revenus généralement modestes, les habitants des territoires annexés manifestèrent rapidement leur crainte de voir leurs impôts augmenter trop sensiblement. Comme l'écrit Jacques Hillairet " Leurs communes étaient, en effet, très en retard sur Paris du point de vue de l'urbanisme, instruction, hygiène et voirie : rues non pavées ou mal pavées et sans trottoirs, nombreuses ruelles et impasses infectes, pas d'égouts, peu de distribution d'eau et de gaz, pas de balayage ni d'arrosage, peu de moyens de transports, peu d'écoles, un agent de police pour 5 000 habitants etc. " Les photographies de Marville (voir Paris Sens Dessus Dessous) en témoignent largement. L'élargissement de l'octroi ne suffit pas à compenser les nombreux investissements nécessaires et les impôts augmentèrent...

L'énumération géographique qui suit peut avoir quelque chose de rébarbatif, toutefois, elle nous a paru nécessaire à une meilleure compréhension des modifications apportée aux communes annexées le 1er janvier 1860. Enfin, nous n'évoquerons que les anciens villages touchant le mur des Fermiers Généraux.

1. La Rive Gauche
a. Les communes entièrement annexées

• Vaugirard

Vaugirard fut une des quatre communes (avec Grenelle, La Villette et Belleville) a être entièrement annexée à Paris le 1er janvier 1860. Les barrières qui lui permettait de communiquer avec la capitale était au nombre de six : les barrières du Maine (*place Bienvenüe*), des Fourneaux ou de la Voirie (fermée en 1855, *rue Fal-*

guière), de Vaugirard (*rue de Vaugirard*), de Sèvres (*rue de Sèvres*), des Paillassons (fermée vers 1840, *avenue de Ségur*) et de l'Ecole-Militaire (*place Cambronne*). A l'ouest, elle était auparavant séparée de Montrouge par la chaussée du Maine (*avenue du Maine*) et la route de Paris à Vanves (*rue Raymond-Losserand*). De même, à l'est, elle était bordée par la commune de Grenelle suivant un tracé complexe que nous décrirons comme débutant à la barrière de l'Ecole-Militaire (*place Cambronne*). Cette ligne descend jusqu'au milieu de la *rue Mademoiselle*, puis la suit jusqu'à la *rue de la Croix-Nivert*, redescend jusqu'à *rue de Javel*, se poursuit alors le long de cette dernière jusqu'au *chemin des Vaches* (*rue de Lourmel*), rejoint alors un coude situé légèrement au sud de la *rue des Cévennes* et enfin suit une ligne droite prenant *la rue Cauchy* jusqu'à la Seine...

• Grenelle

11

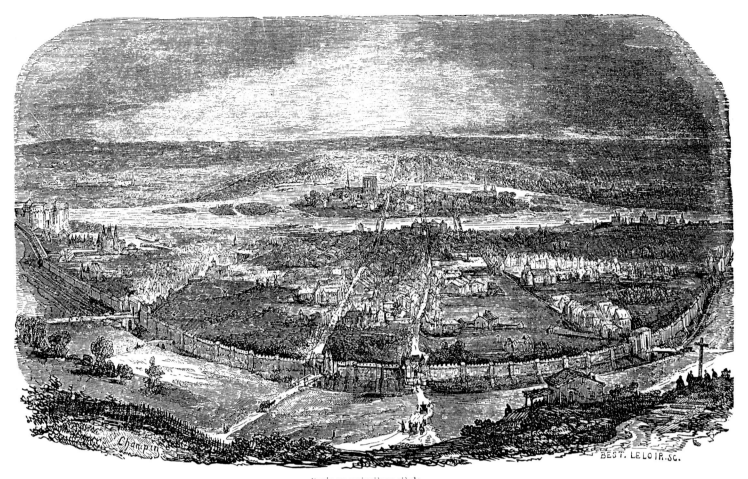

Paris au quinzième siècle.

Comme la commune voisine de Vaugirard, Grenelle a entièrement été absorbée par la capitale lors de l'annexion du 1er janvier 1860. A l'ouest, la commune de Grenelle était bordée par la Seine et la *rue Cauchy*, alors qu'à l'est, sa frontière avec Vaugirard suivait le tracé approximatif que nous avons décrit ci-dessus. Quatre barrières permettaient une communication avec Paris : les barrières de la Cunette (sur le quai à l'extrémité du *boulevard de Grenelle*), de Grenelle ou des Ministres (*rue Viala*), de la Motte-Picquet (ouverte en 1840, elle se trouvait *avenue de la Motte-Picquet*) et de l'Ecole-Militaire (*place Cambronne*).

b. Les communes partiellement annexées

Outre les communes d'Issy et de Vanves qui ne touchaient pas le mur des Fermiers Généraux mais dont de petites parties furent rattachées à Paris, trois communes de la rive gauche furent partiellement annexées :

• **Montrouge**
La commune de Montrouge était séparée de Gentilly par la *rue des Catacombes* (*Dareau*) et le *chemin des Prêtres* (*avenue René-Coty*). A l'ouest, elle s'adossait à la commune de Vaugirard, séparée par un tronçon de la chaussée du Maine (*avenue du Maine*) et la *route de Paris à Vanves* (*rue Raymond-Losserand*) ainsi qu'à la commune de Vanves qui se démarquait grâce aux *chemins des Bœufs* (*rue d'Alésia*) et de *la Croix-du-Gors* (*rue des Plantes*). Montrouge disposait de quatre barrières pour communiquer avec Paris : les barrières Saint-Jacques, d'Arcueil ou de la Fosse-aux-Lions (*place Saint-Jacques*), d'Enfer ou d'Orléans (*place Denfert-Rochereau*), du Montparnasse (*rue du Montparnasse*) et du Maine (*place Bienvenüe*). Une cinquième barrière fut percée en 1854 dans le mur des Fermiers Généraux à la hauteur de la rue *Campagne-Première*, on lui attribua

le nom de barrière de Montrouge.

• **Gentilly**
Adossée au mur des Fermiers Généraux jusqu'en 1860, la commune de Gentilly était, à l'est, séparée de la commune d'Ivry par la *route de Choisy* (*avenue de Choisy*). A l'ouest, elle longeait la commune de Montrouge, séparée d'elle par la *rue des Catacombes* (*Dareau*) et le *chemin des Prêtres* (*avenue René-Coty*). Gentilly communiquait avec Paris au niveau de l'actuel *boulevard Auguste-Blanqui* par les barrières d'Italie, de Fontainebleau, des Gobelins ou Mouffetard (*place d'Italie*), Croulebarbe (*rue Corvisart*), de la Glacière, de Lourcine ou de Gentilly (*rue de la Glacière*) et de la Santé (*rue de la Santé*).

• **Ivry**
La commune d'Ivry ne fut qu'à moitié annexée à Paris. Elle était bordée à l'est par la Seine, au sud par la commune de Vitry-sur-

12

Seine, à l'ouest, de la commune de Gentilly, par la *route de Choisy* (devenue *avenue de Choisy*), et, enfin, au nord par le mur des Fermiers-Généraux qui la reliait alors à Paris par les barrières d'Italie, de Fontainebleau, des Gobelins ou Mouffetard (*place d'Italie*), d'Ivry (*place Pinel*), de l'Hôpital ou des Deux-Moulins (carrefour du *boulevard de l'Hôpital* et de la *rue Jenner*) et de la Gare (carrefour du *boulevard de la Gare* – devenu *Vincent-Auriol* – et du quai).

2. La Rive droite
a. Les communes entièrement annexées

• La Villette
Comme Belleville, Vaugirard et Grenelle, La Villette fut entièrement annexée par la ville de Paris le 1ᵉʳ janvier 1860. Au sud, la séparation avec la commune de la Villette s'effectuait suivant un tracé complexe suivant les *rues des Carrières-d'Amérique, Manin, d'Hautpoul* et *Compans*, puis il suivait un chemin à travers le nord du parc des Buttes-Chaumont jusqu'à la *rue Cavendish* qu'il longeait jusqu'à

la *rue de Meaux* et enfin jusqu'à l'actuelle *place du Colonel-Fabien*. Au nord, elle jalonnait plus simplement la longue *rue d'Aubervilliers*. Ses communications avec Paris s'effectuait par seulement trois barrières dans le mur des Fermiers Généraux : les barrières des Vertus (*rue d'Aubervilliers*), de la Villette (*rue de Flandres*, actuellement *avenue de Flandres*) et de Pantin (sur l'actuelle *place de la Bataille-de-Stalingrad*).

• Belleville
La totalité de la commune de Belleville a donc été absorbée par la capitale lors de l'annexion. Sa partie ouest, accolée au mur des Fermiers Généraux disposait de sept barrières : du Combat, du Combat du Taureau ou Saint-Louis (sur l'actuelle *place du Colonel-Fabien*), de la Chopinette (*boulevard de la Villette* non loin de la *rue du Buisson-Saint-Louis*), de Belleville (*rue de Belleville*), de Ramponneau, Riom ou Orillon (*rue Ramponneau*), des Trois Couronnes (*rue des Couronnes*), de Ménilmontant (*rue de Ménilmontant*) et des Amandiers (*rue des Amandiers*). Au nord, la frontière

avec la commune de La Villette était, bien sûr la même que celle de Belleville citée plus haut. Au sud, la césure était plus claire et la limite avec la commune de Charonne suivait une ligne sinueuse passant par les actuelles *rues des Amandiers, des Partants, Villiers-de-l'Isle-Adam, Pelleport,* et *du Surmelin*.

b. Les communes annexées à l'exception d'une partie rattachée à des communes voisines
Outre la commune d'Auteuil (dont une petite partie fut attribuée à Boulogne) qui ne touchait pas le mur des Fermiers Généraux mais dont de petites parties furent rattachées à Paris, trois communes de la rive droite furent partiellement annexées :

• Passy
A l'exception d'une petite fraction rattachée à Boulogne, la commune de Passy fut entièrement intégrée à Paris. Au sud, elle était séparée d'Auteuil par les *rues de Boulainvilliers* et de *l'Assomption*, et, au nord, de Neuilly, par les *rues de Longchamp Spontini, Pergolèse* et par le tronçon de l'*avenue de la Grande-Armée* situé entre la *rue Pergolèse* et la *place de l'Etoile*. Six barrières ouvertes dans le mur des Fermiers Généraux lui offrait un accès vers Paris : les barrières de Passy, des Bonshommes ou de la Conférence de Versailles (sur le quai), Franklin (*boulevard Delessert*), Sainte-Marie (fermée en 1830 actuel *square Yorktown*), Longchamp ou de Chaillot (*rue de Longchamp*), des Réservoirs ou des Bassins (*rue Copernic*, fermée vers 1840 elle fut réouverte en 1848 sous le nom de *barrière des Banquets*) et de l'Etoile ou de Neuilly (carrefour de la *rue de Presbourg* et des *Champs-Elysées*).

• Les Batignolles-Monceau
Si l'on excepte une modeste

Les joueurs d'échecs du café Procope au dix-huitième siècle.

partie qui fut attribuée à la commune de Clichy, l'intégralité des Batignolles-Monceau fut rattachée à Paris en 1860. Elle était alors séparée de la commune de Neuilly par l'actuelle *rue de Courcelles*, et, de l'ancienne commune de Montmartre, par le *boulevard de Clichy* puis par les *rues Cavalotti, Ganneron, Etex, Eugène-Carrière* et *Damrémont*. Elle communiquait avec Paris grâce aux barrières du Roule (*place des Ternes*), de Courcelles (*rue de Courcelles*), de Chartres (*parc de Monceau*), de Monceaux (*place Porsper-Goubaux*) et de Clichy (*place Clichy*).

• **Montmartre**
Cette commune, dont les origines remontent au moins au VIème siècle de notre ère, a été entièrement supprimée le 1er janvier 1860. Elle était alors séparée de la commune des Batignolles-Monceau par le *boulevard de Clichy* puis par les *rues Cavalotti, Ganneron, Etex, Eugène-Carrière* et *Damrémont*, et, *de la Chapelle-Saint-Denis* sur son flanc est, par la *rue des Poissonniers*. Au sud, le mur des Fermiers-Généraux la reliait à Paris par les barrières Blanche ou de la Croix-Blanche (*place Blanche*), Montmartre, Royale ou Pigalle (*place Pigalle*), des Martyrs, Clignancourt ou Montmartre (*rue des Martyrs*), Rochechouart (*rue de Rochechouart*) et Télégraphe, Poissonnière ou Sainte-Anne (*rue du Faubourg-Poissonnière*). La section de la commune de Montmartre restée au-delà de l'enceinte fortifiée de Thiers fut alors rattachée à la commune de Saint-Ouen.

• **La Chapelle-Saint-Denis**
La commune de la Chapelle-Saint-Denis fut supprimée en 1860, sa partie restée en dehors de l'enceinte fortifiée de Thiers étant alors partagée entre trois communes : Saint-Denis, Saint-Ouen et Aubervilliers. Ses frontières avec les deux communes voisines étaient alors linéaires : celle qui la séparait de Montmartre suivait la *rue des Poissonniers*, et, la seconde, *de La Villette, la rue d'Aubervilliers*.
Ses communications avec Paris se faisaient grâce à trois barrières : Télégraphe, Poissonnière ou Sainte-Anne (*rue du Faubourg-Poissonnière*), Saint-Denis, de la Chapelle ou Franciade (*place de la Chapelle*) et des Vertus (*rue d'Aubervilliers*).

• **Charonne**
Rattachée dans sa plus grande partie à la capitale, la commune de Charonne abandonna une petite partie de sa superficie à deux communes restées au-delà de l'enceinte fortifiée de Thiers : Montreuil et Bagnolet.
Charonne était alors séparée de la commune de Belleville par les actuelles *rues des Amandiers, des Partants, Villiers-de-l'Isle-Adam, Pelleport*, et *du Surmelin*. Au sud, elle sa frontière avec Saint-Mandé – un tiers de cette commune était alors à l'intérieur des fortifications – suivait la *rue de Lagny*. Cinq barrières permettait à la commune de Charonne de communiquer avec Paris : les barrières des Amandiers (*rue des Amandiers*), du Père-Lachaise, de la Folie-Regnault, d'Aunay ou du Mont-Louis (*boulevard de Ménilmontant* non loin de la *rue de la Folie-Regnault*), des Rats (fermée en 1840, *rue des Rats*, actuellement *rue Pierre-Bayle*), de Charonne ou de Fontarabie (*rue de Charonne*) et de Montreuil (*rue de Montreuil*).

• **Bercy**
Supprimée en 1860, la commune de Bercy perdit alors une part de son territoire au profit de Charenton. Sa frontière avec la commune de Saint-Mandé, dont une partie était alors intra-muros, suivait le *chemin de la Croix-Rouge* (*rue de Picpus*) de la barrière de Picpus au *sentier Saint-Antoine* (*rue de Toul*) puis rejoignait le *chemin des Marais* (*avenue Daumesnil*) jusqu'aux fortifications. Sur son flanc sud, elle était bordée par la Seine. La partie parisienne de la commune de Bercy comprenait lors de l'annexion trois agglomérations : la vallée de Fécamp, la Grande-Pinte et Bercy, cette dernière regroupant la Grange-aux-Merciers, le Petit-Bercy et La Rapée. Cinq barrières reliaient la commune de Bercy à la capitale : les barrières de Picpus ou de la Liberté (angle de la *rue de Picpus* et du *boulevard de Picpus*), de Reuilly (l'actuelle *place Félix-Eboué*), de Charenton, de Marengo ou de la Grande-Pinte (angle de la *rue de Charenton* et du *boulevard de Reuilly*), de Bercy ou des Poules (actuelle *place du Bataillon-du-Pacifique*) et de la Rapée (actuel *quai de Bercy* face au *pont de Bercy*).

c. Les communes partiellement annexées
Outre les communes de Clichy, Saint-Ouen, Aubervilliers, Pantin, du Pré-Saint-Gervais et Bagnolet qui ne touchaient pas le mur des Fermiers Généraux mais dont de petites parties furent rattachées à Paris, deux communes de la rive droite furent partiellement annexées :

• **Neuilly**
La partie de Neuilly qui fut annexée en 1860 fut, en fait, très limitée. Elle longeait à l'est le mur des Fermiers Généraux le long des barrières de Courcelles (*rue de Courcelles*), du Roule (*place des Ternes*) et de l'Etoile ou de Neuilly (carrefour de la *rue de Presbourg* et des *Champs-Elysées*).. Au sud, elle était séparée de la commune de Passy par l'avenue de Neuilly (*de la Grande-Armée*) de la Barrière de l'Etoile à la rue Périer (*rue Pergolèse*), par la *rue du Petit-Parc* (*Spontini*) jusqu'à la *rue*

de *Lonchamp* et enfin en suivant cette dernière jusqu'au fortifications. Son flanc ouest bordait l'enceinte fortifiée depuis la *rue de Longchamp* jusqu'au *chemin de la Planchette-à-Courcelles* (*rue de Courcelles*), et, enfin, sa partie nord, de ce chemin jusqu'à la barrière de Courcelles.

• **Saint-Mandé**

En 1860, le tiers de la commune de Saint-Mandé qui se trouvait à l'intérieur de l'enceinte fortifiée fut annexé par Paris.

Cette partie de Saint-Mandé était auparavant séparée de la commune de Charonne par la *rue de Lagny*, et, de la commune de Bercy, par le *chemin de la Croix-Rouge* (*rue de Picpus*) de la Barrière de Picpus au *sentier Saint-Antoine* (*rue de Toul*) puis rejoignait le *chemin des Marais* (*avenue Daumesnil*) jusqu'aux fortifications. Trois barrières du mur des Fermiers Généraux offraient des voies d'accès depuis Saint-Mandé : les barrières de Vincennes ou du Trône, du Trône Renversé ou de Vincennes (*avenue du Trône*), de Saint-Mandé (actuel *square Courteline*) et de Picpus ou de la Liberté (angle de la *rue de Picpus* et du *boulevard de Picpus*).

C. LES DERNIÈRES ANNEXIONS

Depuis 1860, un certain nombre d'annexions ont contribué à l'élargissement de la capitale. Tout d'abord, après des négociations, l'état céda à la ville de Paris, pour la somme de cent millions, la totalité de l'enceinte. Une fois annexée, sa destruction fut ordonnée en 1919 et terminée peu avant la guerre. Compte tenu des nombreux projets d'aménagements, la " zone noire " allait enfin pouvoir devenir une " zone verte ". Les annexions de 1925, 1929 et 1930 permit à Paris de s'étendre jusqu'à la zone " non aedificandi ". Ensuite, de nouvelles annexions élargirent la capitale aux bois de Boulogne et de Vincennes ainsi qu'au champ de manœuvre d'Issy-les-Moulineaux, portant ainsi la superficie de Paris à 10 516 hectares. D'autres projets n'aboutirent jamais, à l'image de cette idée germée dans l'esprit de quelque ministre d'après-guerre où, pour faire face au surpeuplement de Paris, devait être créé un XXIème arrondissement sur les terres et les ruines du château de Beauregard (environ deux cents hectares situés entre la Celle-Saint-Cloud, Rocquencourt et Marly-le-Roi) où mourut en 1865 miss Harriet Howard, la « femme qui fit un empereur », en l'occurrence Napoléon III. Une bien étrange idée que ce Paris-bis ou Paris 2…

Estaminet du Cheval blanc.

Rue de Lappe,
vue prise vers la rue de Charonne
(30 septembre 1920).

———— ❖❖❖ ————

Le bal Bousca, qui fut quelques temps le voisin du fameux Balajo, a depuis longtemps disparu. Même l'immeuble a été rasé et remplacé. De nos jours, les célèbres bals de la rue de Lappe ont été supplantés par des bars aux styles les plus variés.

Vue de Paris vers le sud-ouest prise de l'église Saint-Ambroise.
En bas, le boulevard Voltaire, au centre l'impasse Truillot
et à gauche l'amorce de la rue Popincourt
(16 août 1920).

❖❖❖

XIᵉ ARRONDISSEMENT

**Angle de la rue de la Roquette et de
la rue du Faubourg-Saint-Antoine.
Au centre, le passage du Cheval-Blanc
(26 novembre 1920).**

❖❖❖

Bien peu savent aujourd'hui que Paris disposait autrefois d'un important réseau de tramways. Après de timides essais en 1875 et 1878, les tramways à traction mécanique prennent leur essor en 1887. Ils seront suivis par les tramways électriques (à accumulateurs en 1892, à plots en 1896, à trolley en 1897 et à caniveau en 1898) qui prendront rapidement de l'expansion au détriment des véhicules hippomobiles. Malgré l'arrivée des autobus en 1905, les tramways restent omniprésents dans la capitale et en banlieue jusqu'en mars 1937, date à laquelle le dernier d'entre eux, le n°123/124, fait sa dernière liaison : Porte de Vincennes-Porte de Saint-Cloud.

**Cour de l'Etoile d'or, 75 rue du Faubourg-
Saint-Antoine (11 septembre 1920).**

❖❖❖

Cette cour privée du XVIIIème siècle doit son nom à une enseigne. Le quartier du *faubourg Saint-Antoine* n'était pas le seul à se spécialiser dans la vente de meubles neufs fabriqués par les menuisiers et ébénistes, celui autrefois nommé *Villeuve-sur-Gravois*, aujourd'hui représenté par les rues d'Aboukir, de Cléry etc, avait également une vocation identique. Par ailleurs, à l'époque où la cour de l'Etoile d'or était construite, il était possible d'acheter ou même de louer des meubles d'occasion chez les fripiers établis sous les piliers des Halles.

N°283 rue du Faubourg-Saint-Antoine, la cour (28 mai 1920).

—◆◆◆—

Cette modeste courette existe encore de nos jours. Les menuisiers ont disparu mais elle est maintenant verdoyante et a conservé son trottoir. Au XIIIème siècle, quatre métiers appartenaient à la corporation des charpentiers qui était elle-même placée sous l'autorité du premier charpentier du roi : les lambrisseurs, faiseurs de lambris, les huissiers, faiseurs de portes, les chassissiers, faiseurs de fenêtres, et les huchiers, faiseurs de meubles… tous sont les ancêtres directs des menuisiers. Au début du XIVème siècle, cette corporation fut divisée en deux classes : Les charpentiers de la grande cognée, dont la spécialité était les ouvrages de charpente et autres gros travaux, et, les charpentiers de petite cognée, occupés aux ouvrages plus " menus ", d'où leur vint le nom de menuisiers.

**N°295 à 301 rue du Faubourg-Saint-Antoine
(28 mai 1920).**

❖❖❖

Seules, les deux maisons blanches situées à droite de cette vue subsistent encore de nos jours. A l'emplacement du n°303 se trouvait une maison ou résidait au XVIIIème siècle le lieutenant d'artillerie de Saint-Hilaire dont le père avait eu le bras arraché par le boulet qui faucha, en 1675, le vicomte de Turenne, alors qu'il achevait sa conquête de l'Alsace.

**N°307 et 309 rue du Faubourg-Saint-Antoine
(28 mai 1920).**

❖❖❖

Ensemble d'immeubles industriels. Le théâtre situé au n°311 a été détruit.

N°102 rue de Montreuil et 16 avenue de Bouvines
(1ᵉʳ Juillet 1968).
——❖❖❖——

Autrefois, les négociants en bois de construction et de charpente se nommaient les merreniers ou marchands de merrain. Le bois de fouteau, autrement dit de Hêtre, se nommait " merrien de fou " et ceux qui en faisaient le commerce étaient désignés sous le nom de " marronnier " ou encore " merinier ", " maironnier ", " mairenier ", " mairnier " etc.

N°102 rue de Montreuil et 16 avenue de
Bouvines,
la cour (1er Juillet 1968).
——❖❖❖——

A l'image de celles-ci, les maisons de un ou deux étages ont pratiquement disparu de la capitale, aussi convient-il de remarquer que l'ambiance lumineuse et dégagée de cette cour, sans doute une ancienne cour de ferme, appartient désormais à une époque révolue... mais pas si lointaine comme l'indique la date de cette photographie !

**N°55 rue de Montreuil, la cité Saint-Michel
(2 mars 1966).**

❖❖❖

La cité Saint-Michel, aujourd'hui complètement détruite, s'ouvrait encore récemment ici et débouchait au 29 rue des Boulets (voir ci-dessous). A l'exception de l'immeuble à gauche où se trouve la petite librairie et celui qui paraît le plus haut, à droite, l'ensemble de ces bâtisses ont été supprimées.

**N°29 rue des Boulets, la cité Saint-Michel
(2 mars 1966).**

❖❖❖

Les passages comme celui-ci, généralement industrieux, étaient autrefois très communs, mais la reconversion d'une grande partie de la capitale en habitations et en bureaux en a fait disparaître une grande partie, la plupart de ces petites et moyennes entreprises s'étant exilées en banlieue.

N°64 rue des Boulets (section devenue rue Léon-Frot), vue prise vers la rue de Charonne (à gauche) (11 septembre 1920).

❖❖❖

La rue des Boulets a été amputée, en 1944, de la partie située comprise entre le boulevard Voltaire et la rue de la Roquette, cette section ayant été baptisée du nom du conseiller municipal Léon Frot, otage fusillé par les Allemand en 1942. L'ancien n°64 était occupé par une dépendance de la Folie-Titon (31 rue de Montreuil, cf. Paris disparu page 206), maison de plaisir qui rivalisait avec la Folie-Rambouillet installée 160-176 rue de Charenton. La Folie-Titon avait été créée en 1673 par Maximilien Titon, directeur général des manufactures et magasins royaux d'armes. Elle disposait de deux autres entrées sur la rue des Boulets.

Une impasse (10 avril 1968).

❖❖❖

Indiquée par erreur comme étant l'impasse Delépine par le photographe, cette voie ancienne a très probablement disparue aujourd'hui.

Cité du Couvent, 99 rue de Charonne (novembre 1969).

❖❖❖

Voie privée ouverte en 1926 sur les terrains du couvent de Notre-Dame de Bon-Secours, prieuré de bénédictines fondé en septembre 1648. Elles y recueillaient les femmes, enfermées à la demande de leurs maris… généralement dans les cas constatés d'adultère. Après sa fermeture en 1790, la couvent resta sans occupant jusqu'en 1802, année de l'installation de la première filature de coton française fondée par François Richard et Lenoir-Dufresne dits Richard-Lenoir (cf. p. 38). Tous ces bâtiments industriels (ils avaient été construits sur l'emplacement de la cour du couvent sans doute vers 1926), dont l'ancien portail d'entrée, ont été détruits en 1969. La petite section de l'ancien couvent que nous découvrons à gauche de cette vue a, elle aussi, été démolie.

N° 101 rue de Charonne, vue prise à droite de la cité du Couvent (novembre 1969).

❖❖❖

Toute cette aile droite du couvent de Notre-Dame de Bon-Secours ainsi que les bâtiments sur la rue ont été restaurés.

N°149 rue de Charonne, vue prise vers l'avenue Philippe-Auguste (24 novembre 1965).
——— ❖❖❖ ———

A l'exception de l'immeuble situé au centre de cette photographie, toutes ces vieilles maisons ont été détruites.

N°157 à 161 rue de Charonne, vue prise vers l'avenue Philippe-Auguste (10 septembre 1920).
——— ❖❖❖ ———

Ancien miroitier, Jacques Belhomme (1737-1824) loua les n°157 à 161 de la rue de Charonne en 1868 pour y installer une maison de santé. Durant la Révolution, de nombreux suspects incarcérés dans diverses prisons y furent internés, sous prétexte de maladie, contre des sommes très substantielles. Mais, si ce subterfuge permit à Jacques Belhomme de s'enrichir et à quelques-uns de sauver leur tête tout en vivant au grand air, le premier fut arrêté le 28 janvier 1794 sur ordre du comité de sûreté générale suite à une dénonciation. Il réussit cependant à échapper à la guillotine en se faisant interner à son tour au collège des Ecossais (65 rue du Cardinal-Lemoine) puis dans une maison identique à la sienne rue de Picpus…Devenu médecin aliéniste, son fils Jacques-Etienne Belhomme (1800-1880) lui succéda dans ces même locaux. Entres-autres écrits qui lui valurent la légion d'honneur en 1847, ce dernier publia un Essai sur l'idiotie (1824). Tous ces bâtiments visibles sur cette photographie ont été démolis.

N°179-181 rue de Charonne, vue prise vers l'avenue Philippe-Auguste (10 septembre 1920).

———❖❖❖———

Du fait de la présence importante de catholiques flamands ouvriers en bois dans ce quartier, Mgr Dele-becque décida, en 1862, d'ériger à leur intention une chapelle rue des Boulets. Cette construction provisoire fut remplacée dès 1870 par cette église, pastiche du gothique du XIIIème siècle. Entre l'immeuble situé au fond et celui au premier plan à droite, toutes les bâtisses ont été détruites et remplacées, durant les années 70, par une résidence sociale de type " cage à lapin " ! *(pages 26 et 27)*

Angle des rues Gerbier et Félix-Voisin, vue prise vers la rue de la Folie-Regnault (1er septembre 1920).

———❖❖❖———

La rue Gerbier a été ouverte en 1837 comme une des rues de pourtour (avec la rue Vacquerie) de la prison de la Roquette. En 1831, avait été construite la prison des Jeunes-Détenus (dite de la Petite Roquette : cf. *Paris Disparu* p. 216 à 220) puis, en face, six ans plus tard, la prison de la Roquette devant laquelle furent exécutés, de 1851 à 1899, des criminels célèbres comme Orsini et Troppmann. Les exécutions capitales eurent lieu ensuite devant, puis à l'intérieur, de la prison de la Santé. La prison de la Roquette a été démolie en 1900.

**Passage René (devenu rue René-Villermé),
vue prise vers la rue de la Folie-Regnault
(10 septembre 1920).**

❖❖❖

Sur l'Atlas municipal de la ville de Paris publié en 1888,
le passage René se terminait en impasse vers le sud, sa
jonction actuelle avec la rue de la Folie-Regnault se
nommant alors passage Duranti. A gauche, il s'agit du
chevet de la chapelle Notre-Dame du Perpétuel-
Secours, bâtie dans le style gothique du XIVᵉᵐᵉ siècle de
1892 à 1895. Les trois premières maisons à gauche ont
été démolies.

Angle des rues de la Roquette
et Auguste-Laurent
(1er décembre 1965).

❖❖❖

La rue Auguste-Laurent correspondait encore à la fin du XVIIIème siècle à la première section de la rue des Murs-de-la-Roquette (elle était déjà indiquée en 1672). Cette dernière se poursuivait alors, vers le nord-est, sur le tracé de l'actuelle rue Mercoeur, puis une courte section de la rue Léon-Frot (rue de la Muette) et enfin tout au long de la rue de la Folie-Regnault jusqu'à la rue du Chemin-Vert (à cette époque rue des Amandiers). Débutant rue de la Roquette, la rue des Murs-de-la-Roquette entourait alors le couvent des Dames hospitalières de la Roquette sur les terrains duquel furent construits les deux prisons : La maison des Jeunes détenus (Petite Roquette) et la prison de la Roquette. Ajoutons que jusqu'en 1818, la rue de la Roquette se terminait à la hauteur de l'actuelle rue Auguste-Laurent. Les maisons qui composent cet angle de rue ont été détruites.

N°23 cité industrielle, vue prise de la
rue Camille-Desmoulins (15 avril 1968).

❖❖❖

Cette seconde section de la cité Industrielle se termine en impasse. L'immeuble à gauche qui forme un angle avec la rue Camille-Desmoulins (n°5) a été démoli.

30

**N°5 à 7 rue du Chemin-Vert, vue prise vers la rue
Saint-Sabin et le boulevard Richard-Lenoir
(14 octobre 1920).**

❖❖❖

Vers le milieu du XVIIème siècle, la rue du Chemin-
Vert n'était qu'un sentier menant à Ménilmontant,
traversant une région de jardins maraîchers et
bordé, dans sa partie haute, par des amandiers. En
1780, fut ouverte la rue des Amandiers entre la rue
Popincourt et l'actuel boulevard de Ménilmontant.
Les deux rues furent réunies en 1868 sous le nom de
Chemin-Vert. Sur ce cliché, tous les immeubles du
coté impair, à l'exception du second (E. Heberlin) et
du dernier, au fond, ont été démolis.

**Impasse Popincourt (34 rue de Popincourt)
(14 octobre 1920).**
—❖❖❖—

Si on excepte la disparition des pavés et l'apparition des tags, cette impasse a été, jusqu'à présent, convenablement sauvegardée.

**N° 1 à 5 passage du Chemin-Vert, vue prise
vers la rue de l'Asile-Popincourt (5 mai 1971).**
—❖❖❖—

Tout le coté impair de ce passage a été démoli.
(Pages 32 et 33)

**Angle des rues Omer-Talon et Merlin (33 à 37)
(6 avril 1966).**
—❖❖❖—

Rues ouvertes en 1860. Le bâtiment d'angle a été démoli.

**N°6 passage Saint-Pierre-Amelot,
vue prise vers le boulevard Voltaire
(20 août 1969).**

———❖❖❖———

Ce passage se nommait Saint-Pierre jusqu'en 1868. Au n°20 se trouve l'emplacement du théâtre Saint-Pierre où furent joués quelques comédies et vaudevilles. Ouvert en 1864, il a disparu vers 1880. Si toutes les maisons pair (à droite) visibles sur ce cliché ont aujourd'hui disparues, il n'en est pas de même du garage Chobert, toujours fidèle au poste !

**N°50 rue Saint-Sébastien, vue prise vers
le boulevard Richard-Lenoir (20 octobre 1920).**

❖❖❖

Rue ouverte à travers champs vers le milieu du
XVIIème siècle, de la rue Amelot à la rue de Popincourt (de la Folie-Méricourt). Elle se nommait alors
rue Saint-Etienne avant de recevoir celui de Neuve-
Saint-Sébastien, patron des arquebusiers. La courte
section, située entre la rue Amelot et les boulevards
Beaumarchais et des Filles-du-Calvaire, n'a été
réalisée qu'en 1846. Ce hôtel Empire a échappé au
pic des démolisseurs, toutefois les statues et mou-
lures sur les façades ont disparu.

N°50 rue Saint-Sébastien, la cour (?)
(14 octobre 1920).

———— ❖❖❖ ————

Après repérages, il ne semble pas que cette cour soit
bien celle du n°50 de la rue Saint-Sébastien… Elle
n'en reste pas moins typique au vu de cet artisan et
de ses statuettes !

**N°73 bis boulevard Richard-Lenoir, passage
(16 août 1920).**

❖❖❖

Du nom du manufacturier en filature de coton (cf. p. 24) François Richard (1765-1839), auquel on a ajouté celui de son associé Lenoir-Dufresne (décédé en 1806), ce boulevard est né du recouvrement d'une partie du canal Saint-Martin de la Bastille à la rue du Faubourg-du-Temple. Ce modeste passage, disparu avant la seconde guerre mondiale, rejoignait peut-être l'impasse Amelot.

**N°7 rue Rampon, vue prise vers le
boulevard Voltaire (4 avril 1920).**

❖❖❖

Rue ouverte en 1783 entre les rues des Fossés du
Temple (Amelot) et de la Folie-Méricourt sous le nom
de Delatour, échevin de Paris de 1775 à 1777 (indiqué en 1797 comme rue de la Tour). En 1864, on lui
attribuait celui du général comte de l'Empire Antoine-
Guillaume Rampon (1759-1842). Démoli peu après
ce cliché, l'hôtel du Bel-Air a été reconstruit sur six
étages et se nomme plus simplement aujourd'hui hôtel
Bel-Air.

**N°147 rue de Bercy, passage des Mousquetaires,
vue prise vers le quai de la Rapée (15 août 1967).**

❖❖❖

Cette voie privée, aujourd'hui disparue, se nommait
passage de la Grande-Cour avant qu'on lui attribue le
nom de passage des Mousquetaires en référence à l'ancienne caserne des Mousquetaires Noirs devenue l'hôpital des Quinze-Vingts.

**N°9 à 15 place Lachambeaudie
(23 novembre 1966).**

— ❖❖❖ —

A droite de ce cliché, on devine le flanc droit de l'église
Notre-Dame-de-Bercy qui fut construite à partir de
1823 sur l'emplacement de l'église Notre-Dame-de-
Bon-Secours du village de Bercy, détruite en 1821.
Incendiée durant la Commune, elle fut reconstruite
par l'architecte Hénard en utilisant les anciens murs.
Le terrain, au centre de la photographie, qui borde la
ligne de chemin de fer conduisant à la gare de Lyon,
est aujourd'hui occupé par un immeuble.

XIIe

ARRONDISSEMENT

Un joueur de billard à l'estaminet du Cheval blanc.

N°18 quai de la Rapée, passage des Mousquetaires, vue prise vers la rue de Bercy (31 août 1967).

Ce quai doit son nom à l'hôtel de la Rapée qui datait du XVIᵉᵐᵉ siècle et se trouvait, avant sa complète destruction, sur l'actuel quai de Bercy.

N°18 quai de la Rapée, passage des Mousquetaires, vue prise légèrement en avant de la précédente vers la rue de Bercy (31 août 1967).

A la suite des grands travaux de rénovation de l'est parisien, il ne reste à peu près rien de l'ancien quai de la Rapée, le passage des Mousquetaires ayant, pour sa part, complètement disparu.

N°14-16 rue Villiot, vue prise vers la quai de la Rapée (25 mai 1967).

❖❖❖

Il ne subsiste aucune partie ancienne de cette rue dont le tracé remonte au début du XVIIIème siècle. Elle ne s'est longtemps pas distinguée de la rue de Rambouillet puis s'est ensuite nommée rue ou chemin de la Rapée avant de se voir attribuer son nom actuel en 1806, en souvenir de celui du propriétaire d'un chantier de bois voisin.

N°72 quai de la Rapée (10 avril 1968).
Un dernier cliché avant disparition définitive…

N°177 à 185 rue de Bercy (1er décembre 1965).

❖❖❖

L'usine du Métropolitain peu avant sa destruction. Inaugurée le 19 juillet 1900, à l'occasion de l'Exposition Universelle, le Métropolitain de Paris – ou chemin de fer souterrain – ne comportait alors qu'une seule ligne allant de Vincennes à l'Etoile. Longue de 14 kilomètres, elle fut construite par M. Bienvenue, l'habile ingénieur en chef de cette compagnie. Un second tronçon allant de la place de l'Etoile à la place de la Nation par les anciens boulevards extérieurs a été ouverte au public le 30 janvier 1903. Le *Nouveau dictionnaire historique de Paris* (Gustave Pessard, Paris, Eugène Rey, 1904), indique alors que de nombreuses lignes sont en préparation : " Courcelles-Ménilmontant, le Circulaire Trocadéro, au Pont d'Austerlitz par la rue Réaumur, traversant deux fois la Seine et à Passy à l'île des Cygnes. " *(Pages 44 et 45)*

Avenue Ledru Rollin à la hauteur du n 78,
à gauche, la rue Traversière. Vue prise vers
la rue de Charenton (27 juillet 1921).

——❖❖❖——

Jean-Baptiste Baudin, né à Nantua le 20 avril 1811,
représentant à la législative durant la seconde
République fut tué sur une barricade située devant
le 151 rue du Faubourg-Saint-Antoine (plaque) le 3
décembre 1851 alors qu'il tentait de rappeler la
troupe au respect de la constitution républicaine.

Engageant les citoyens présents à défendre la Répu
blique quelqu'un lui répliqua : " Crois-tu que nous
allons nous faire tuer pour tes vingt-cinq francs par
jour ? " – " Vous allez voir, riposta Baudin, comment
on meurt pour vingt-cinq francs ", ceint de son
écharpe et brandissant un drapeau tricolore, il monta
sur la barricade où il fut foudroyé par la première
salve des soldats. La statue de Baudin – ajoutons qu'il
se battit également pour que l'instruction primaire
fut gratuite et obligatoire – a aujourd'hui disparu de
cet emplacement.

Angle des rues de Bercy
et Traversière (à gauche)
(vers 1922).

Cette maison a été détruite peu après ce cliché et
remplacée par l'immeuble de la Compagnie des Chemins
de Fer PLM (service de la voirie). *(Pages 46 et 47)*

N°202 rue du Faubourg-Saint-Antoine, à droite l'angle avec la rue de Reuilly (22 janvier 1921).

La maison du n°202 date de la fin du XVIIIème siècle.

N°218 rue du Faubourg-Saint-Antoine, vue prise à la hauteur de la rue Roubo (22 janvier 1921).

Les bâtisses situées dans la partie gauche de ce cliché ont été détruites.

Place d'Aligre, vue prise vers l'est (vers 1922).

❖❖❖

Depuis de nombreuses années, le marché d'Aligre – ou plus exactement le marché Beauvau-Saint-Antoine cumule deux genres : un premier réservé aux produits alimentaires, couvert, régi par la ville de Paris et un second, un carreau spécial longtemps réservé à la vente d'articles de jardinage que complète, depuis quelques décennies, une section occupée par des brocanteurs. Ces derniers constituaient, au XIIIème siècle, deux classes de la communauté des fripiers, les uns parcourant les rues, offrant d'acheter et de vendre de vieux habits alors que les autres étalaient de sordides marchandises près du cimetière des Innocents. Le sens du mot brocanteur change au XVIIème siècle pour désigner plus particulièrement, comme aujourd'hui, les " marchands de curiosités ". **(suite page 52)**

(suite de la page 50)

**N°36 rue de Reuilly, l'église Saint-Eloi.
Vue prise vers le boulevard Diderot
(23 février 1921).**

❖❖❖

Au XVIIIème siècle, les brocanteurs ne sont plus que des ambulants. Ils sont tenus de " porter sur eux et en évidence " une médaille de cuivre numérotée et ne peuvent faire aucun commerce en boutique ni ailleurs que " dans les rues, halles et marchés ". Il ont le droit de vendre " toutes sortes de marchandises de friperie, meubles et ustensiles de hasard, qu'ils porteront sur leurs bras, sans qu'ils puissent les déposer ni étaler en place fixe " *(Déclaration du Roy portant règlement pour les fripiers-brocanteurs).*

A l'origine, l'église Saint-Eloi n'était qu'une modeste chapelle construite en 1856 dont seule la façade était construite en pierre, le reste étant en charpente et en plâtre. Menaçant de tomber en ruine, elle fut démolie en 1876 et reconstruite en 1880. Toutefois, lors de la rénovation de l'îlot Saint-Eloi en 1968, la nouvelle église fut détruite à son tour et reconstruite à la hauteur du n°56.

**N°45 rue de Reuilly, cour et passage
(15 janvier 1973).**

❖❖❖

Cette voie a entièrement disparue. La rue de Reuilly est à l'image de ce que sont en grande partie devenus les XIIème au XXème arrondissements : le plus souvent de vastes espaces dominés par d'immenses et inesthétiques bâtisses sans âmes... Dans ce cas précis, surtout à partir de la rue Jacques Hillairet – ce qui est un comble – et jusqu'à la rue de la Gare de Reuilly, il ne reste aucune trace, ou presque, de la moindre construction ancienne... Encore un quartier qui a perdu sa mémoire.

**N°105 à 99 rue de Picpus, vue prise vers
le passage Chaussin et le boulevard de Picpus
(9 mars 1966).**

❖❖❖

Ce minuscule pâté de maisons existe encore de nos jours et a même été restauré. L'échoppe du cordonnier, bien évidemment une très ancienne profession parisienne, m'incite à évoquer l'origine de ce mot telle que nous la propose Alfred Franklin dans son dictionnaire historique (voir la bibliographie) : " Les cordonniers devaient leur nom à l'espèce de cuir qu'ils employaient le plus, le *cordouan*, peau de chèvre apprêtée suivant des procédés spéciaux. Le secret de cette préparation avait été apporté en Espagne par les Arabes, et dès le temps de Charlemagne, Cordoue fournissait à l'Europe occidentale le cuir utilisé pour les chaussures de luxe (...). "

**N°67 rue de Picpus, vue prise vers
la rue Lamblardie (1er décembre 1965).**

——❖❖❖——

Ce bâtiment a été détruit.

**Angle des rues de Picpus
et Lamblardie (1921).**

——❖❖❖——

Sur la façade muette de cette maison, elle a disparu
vers la fin des années vingt, se trouvait une plaque de
bornage datant de 1727 qui interdisait de construire
au-delà : " De par le Roi, défenses expresses sont faites
de bâtir dans cette rue hors de la présente borne et
limites aux peines portées par les déclarations de Sa
Majesté de 1724 et 1726. "

Passage Chaussin, vue prise de la rue
de Picpus vers la rue de Toul (9 mars 1966).

N°34 rue Sibuet et 22 à 26 rue
Mousset-Robert (15 février 1973).

— ❖❖❖ —

— ❖❖❖ —

Voie privée ouverte en 1844.

Cette ancienne voie de la commune de Saint-Mandé se nommait sentier Saint-Antoine (indiqué dans le plan cadastral de 1812) avant de recevoir, en 1868, le nom du général Benoît Prosper Sibuet (1773-1813). Elle a été amputée en 1893 de la partie qui s'étendait entre la rue de Picpus et le chemin de fer de Vincennes qui fut alors dénommée rue de Toul. (*Pages 56 et 57*)

Passage derrière le 52(?) boulevard de Picpus,
vue prise vers la rue Sibuet (6 octobre 1964).

—❖❖❖—

Vers la fin du XVIIème siècle, la police s'émut des
dangers que présentaient les lavandières (ancien nom
donné aux blanchisseuses) pour la santé publique. En
effet, certains endroits où elles battaient le linge sur la
Seine étaient tellement contaminés qu'il fallait s'en
inquiéter. Aussi, les autorités interdirent, " à peine de
fouet ", aux lavandières de laver en été dans le petit
bras de Seine entre la place Maubert et le Pont-Neuf
" à cause de l'infection et impureté des eaux qui y
croupissent, capables de causer de graves maladies. "

58

**N°36 avenue du Docteur-Arnold-Netter
et les 3 à 7 rue Lasson (5 mai 1971).**

❖❖❖

La section de l'avenue Général-Michel-Bizot située
entre la rue du Sahel et le cours de Vincennes a reçu
le nom du docteur Arnold Netter (1855-1936) en
1962. Tout le coté impair de la rue Lasson, que nous
découvrons sur cette photographie, a été détruit.

Bois de Vincennes. Porte Daumesnil (1929).

— ❖❖❖ —

D'une superficie de 934 hectares, le Bois de Vincennes fut annexé à Paris en 1926 (le bois de Boulogne également) et rattaché au XIIème arrondissement. La grille a été démolie en 1930.

Bois de Vincennes. Lac Daumesnil, ancien pavillon des eaux et forêts dans l'île de Reuilly (octobre 1929).

— ❖❖❖ —

Construit pour l'Exposition de 1889, le pavillon des eaux et forêts accueillit l'année suivante le musée de l'Industrie du bois. L'Exposition coloniale de 1930 se tint en grande partie autour du Lac Daumesnil et de ses deux îles de Bercy et de Reuilly, le musée fut alors transféré dans les anciens pavillons du Togo et du Cameroun. Le bois compte quatre lacs : le lac Dausmesnil, le lac de Gravelle, le lac des Minimes et enfin le lac de Saint-Mandé, le seul qui soit naturel, les trois premiers ayant été creusés durant le second Empire, lors des travaux d'embellissement du Bois dirigés par Alphand et Barillet-Deschamps.

Bois de Vincennes.
Allée centrale du camp de Saint-Maur (1929).

❖❖❖

L'école de Joinville (Ecole normale supérieure
d'éducation physique) annexa le camp de Saint-Maur
situé au centre du bois. L'Institut national des sports
a succédé en 1952 à l'école de Joinville dont les
nouveaux bâtiments avaient été construits en 1938.

**Avenue Sainte-Marie, sortie vers
le boulevard de la Gare (boulevard Vincent-Auriol)
(27 juin 1922).**

—❖❖❖—

Cette photo est une des plus émouvantes de cet
ouvrage. Pour situer l'action, cette ruelle – cocassement
nommée avenue – appartient à ce qu'il reste alors de la
cité Dorée : un pâté de maisons misérables situé à

l'angle du boulevard de la Gare et de la rue Jenner. Le
photographe, venu immortaliser ces quelques pierres
décrépites avant leur disparition prochaine, commence
sans doute ici son travail. Il est en effet permis de l'imaginer car la jolie petite fille blonde et souriante, elle
s'appelle Alice, va bientôt courir chez ses parents pour
enfiler sa plus belle robe et chausser ses souliers du
dimanche… se faire belle pour cet événement !
Toujours discrète, nous la retrouverons sur la plupart
des autres clichés *(pages 63 à 71)*.

62

Rue Jenner, maisons n°5, 7 et 9, à gauche
le débouché de l'avenue de Bellevue
débutant avenue Sainte-Marie (27 juin 1922).

———— ❖❖❖ ————

Anciennement rue des Deux-Moulins (1806) appartenant au village d'Austerlitz. Elle longeait la partie
nord-est de la cité Dorée.

XIIIe

ARRONDISSEMENT

Boulevard de la Gare (boulevard Vincent-Auriol), maisons n°82, 84 et 86, à droite la rue Jenner (27 juin 1922).

❖❖❖

Dans cette série de clichés (pages 62 à 71), il est possible de découvrir le dernier lopin de l'ancienne cité Doré dont l'emplacement serait aujourd'hui dans le périmètre de la rue Jenner, boulevard Vincent-Auriol et la rue Jeanne-d'Arc, un pâté de maisons d'environ cent mètres de coté entrecoupé de ruelles. Contraint à diviser un très grand terrain en plusieurs parcelles, le propriétaire, un certain Doré, permit la construction, dès la fin de la seconde République, de pavillons ouvriers, en réalité de petits immeubles devenus vite insalubres comme il est possible de les découvrir ici.

Avenue Sainte-Marie n°5 au premier plan, vue prise légèrement en retrait de celle de la page 62 vers le boulevard de la Gare (boulevard Vincent-Auriol) (27 juin 1922).

❖❖❖

Habité dès 1853 par quelque quatre cents ouvriers décrits comme " croupissants sur un fumier " la cité Doré brille déjà par sa solide réputation de " cloaque extraordinairement ignoble ". Quelques années plus tard, en 1859, désormais deux mille personnes y survivent, dont une majorité de chiffonniers, dans un tableau rappelant les " truanderies " du moyen-âge et la " cour des miracles ". Nous retrouvons la petite Alice, dans son " habit du dimanche " à la sixième place en partant de la droite…

Avenue Sainte-Marie, maison n°4 au premier plan,
vue prise à l'inverse de celle de la page 62.
(27 juin 1922).

— ❖❖❖ —

Pour une meilleure compréhension de la topographie
des lieux, soulignons que la première rue à gauche se
nomme avenue Constant-Philippe, la deuxième à gauche, avenue Constance et, la rue transversale au fond,
cité Doré.

**N°2 avenue Sainte-Marie et 8, 10, 12, 16, 16 bis
et 18 cité Doré, vue prise vers la rue Jeanne-d'Arc
(27 juin 1922).**

❖❖❖

On reconnaîtra la porte en bois à gauche, déjà
observée dans le cliché page 65. Précisons que toute
la partie ouest de la cité Doré, qui comprenait principalement les débouchés de l'avenue Constant-
Philippe, de l'avenue Constance ainsi que l'avenue du
Pavillon dans son intégralité, a été absorbée lors du
percement de la rue Jeanne-d'Arc à partir de 1913.

Angle de la cité Doré (vers la rue Jenner)
et de l'avenue Sainte-Marie, vue prise
à l'inverse de la précédente (27 juin 1922).

—————— ❖❖❖ ——————

Si le commerce de vins et traiteur – le lettrage sur la
façade de gauche est typique du Second-Empire –
semble fermé depuis longtemps, il n'en est visiblement pas de même pour l'appartement du premier
étage dont l'insalubrité paraît hallucinante.

Angle des avenues Sainte-Marie et Constance,
au fond à gauche la cité Doré
(22 juin 1922).

—❖❖❖—

Avenue Constance, maisons 11, 13, 15 et 17,
vue prise non loin de l'avenue Sainte-Marie
vers la rue Jeanne-d'Arc (27 juin 1922).

—❖❖❖—

Angle de l'avenue Constance n°19 et de
la rue Jeanne-d'Arc récemment ouverte.
Au fond à gauche le métro aérien et le boulevard
de la gare (boulevard Vincent-Auriol)
(27 juin 1922).

—❖❖❖—

Cette étonnante série de photographies (depuis la
page 62) ouvre les portes d'un monde lointain, tel
qu'il l'était encore durant l'entre-deux guerre dans
bien des quartiers populaires de Paris et reconnais-
sable surtout par ses types extraordinaires tel ce vieil
homme et son kil de rouge glissé dans son pantalon
ou encore la petite Alice et tous ces enfants dont la
splendeur ingénue émerge avec bonheur de la saleté
ambiante. *(pages 70 et 71)*

**N°175 et 173 rue du Chevaleret,
vue prise vers la rue Clisson
(24 novembre 1969).**
———❖❖❖———

Se nommait, dès le début du XVIIIème siècle, chemin du Chevaleret du nom d'un lieu-dit. Ce chemin se poursuivait dans la partie d'Ivry qui ne fut pas annexée en 1860.

Passage Perret. Vue prise, probablement,
de la rue du Chevaleret vers la rue Dunois
(27 janvier 1970).

Cette voie ouverte sur la propriété de madame Veuve Perret, née Levée, a entièrement disparu.

Passage Levée. Vue prise, probablement, de la rue Dunois vers la rue du Chevaleret (27 janvier 1970).

Cette voie ouverte sur la propriété de madame Veuve Perret, née Levée, a entièrement disparue…

Passage Levée. Vue prise, probablement, de la rue Dunois vers la rue du Chevaleret (27 janvier 1970).

———❖❖❖———

(Voir ci-dessus)

Passage Perret (27 janvier 1970).

———❖❖❖———

Ce cliché permet de soupçonner ce que pouvait être encore la vie à Paris il y a seulement trente ans… et découvrir avec délices cette scène du "vieil homme dans son jardinet". *(Pages 74 et 75).*

**N°41 rue du Chevaleret, la cour
(20 mai 1969)**

❖❖❖

(Pages 76 et 77)

**N°41 et 43 rue du Chevaleret
(20 mai 1969).**

❖❖❖

Au premier plan, l'entrée du n°41 (voir pages 76 et 77). Ces deux ensembles ont été remplacés par un immeuble moderne (les bâtisses qui suivent sont aujourd'hui toujours " debout ").

**Rue Dunois, vue prise vers
le boulevard Vincent-Auriol.
Au fond le métro aérien (27 janvier 1970).**

❖❖❖

Simple sentier au début du XVIIIème siècle, cette ancienne rue de la commune d'Ivry se nommait rue des Ormes en 1812 puis rue des Trois-Ormes avant de recevoir, peu après son annexion à la capitale, le nom du compagnon de Jeanne d'Arc : Jean, comte de Dunois (1403-1468) surnommé le Bâtard d'Orléans. Toute cette partie de la rue est désormais occupée par des tours et autres immeubles modernes.

**Impasse Nationale, 54 rue Nationale
(15 octobre 1972).**
———❖❖❖———

Toute la partie gauche de l'impasse a été
remplacée par un immeuble moderne.

**Rue Charles-Fourier, vue prise de
la rue de Tolbiac vers la place des Peupliers
(24 août 1966).**
———❖❖❖———

Toute cette partie de cette rue, ouverte à partir de
1887, jusqu'à l'immeuble au " flanc taché ", a aujour-
d'hui disparue.

**N°1bis rue des Terres-au-Curé,
à gauche la rue Regnault
(22 février 1967).**
———❖❖❖———

Nommée à compter de 1812 sentier de la Coupe-des-
Terres-au-Curé, cette rue qui rejoignait le boulevard
Masséna a été scindée en deux partie par le chemin
de fer de ceinture. La partie sud a pris le nom d'impasse puis square Masséna et sa partie nord, qui se
poursuivait à l'origine juqu'à la rue de Tolbiac : rue
des Chamaillards puis rue Albert. *(pages 80 et 81)*

**N°47 boulevard de l'Hôpital,
Hôpital de la Salpétrière
(15 juin 1921).**

——❖❖❖——

Façade actuelle. Créé au milieu du XVIIème siècle par Louis XIV, l'*Hôpital Général* avait fonction de recueillir une partie des 50 000 mendiants et autres vagabonds qui déambulaient alors dans les rues de Paris. Il devait se découper en trois sections distinctes : l'*Hôpital de la Salpétrière* réservé aux femmes, celui de *Bicêtre* l'étant aux hommes et celui de la *Pitié* aux garçons.

**N°47 boulevard de l'Hôpital,
Hôpital de la Salpétrière
(15 juin 1921).**

——❖❖❖——

Vue d'ensemble de la première cour. Alors que près de 5 000 pauvres se rendirent à l'*Hôpital Général* de leur plein gré, les autres furent traqués et bientôt enfermés de force à la suite de nombreuses rafles menées dans les quartiers les plus sordides de la capitale.

**N° 47 boulevard de l'Hôpital,
Hôpital de la Salpétrière (15 juin 1921).**

❖❖❖

Jardin d'une section d'aliénés. L'*Hôpital de la Salpé-trière* fut rapidement partagée en cinq catégories, l'une d'entre-elles étant réservée aux folles " réputées incurables, nous explique Jacques Hillairet, enchaî-nées dans les basses-loges, infects cabanons en sous-sol, envahis par les infiltrations d'eau et les rats. Le corps passé dans un anneau scellé au mur, elles vivaient comme des bêtes au milieu de leurs immondices. On leur passait leur pitance et leur paille au travers des barreaux de leurs grilles. "

**N° 29 rue Vergniaud et 16 rue Daviel
(26 octobre 1966).**

❖❖❖

A l'exception des maisons situées à l'extrême droite de cette vue, l'ensemble a été remplacé par un immeuble moderne. La cité Daviel, au n° 10 de la rue, est aujourd'hui un site inscrit.

N°10 passage Boiton (5 mai 1971).

❖❖❖

Ce passage est toujours préservé, à l'image du quartier de la Butte-aux-Cailles, petite enclave de sérénité au cœur du XIIIème arrondissement. " Les premiers habitants de la Butte-aux-Cailles vinrent s'y établir vers 1850, nous explique Jacques Hillairet dans son troisième volume d'Evocation du vieux Paris, c'étaient de pauvres gens que les expropriations et les démolitions avaient chassés de la capitale ; des chiffonniers de la cité Doré vinrent, de leur coté, y fonder une autre colonie. La commune de Gentilly se désintéressa de cette petite agglomération qui, non pavée, non éclairée, fut, avec ses pauvres masures et ses ruelles remplies d'ornières, un bien triste lieu jusqu'à son rattachement à Paris en 1860. Lorsqu'à cette époque on montait sur la Butte-aux-Cailles (…) on avait à ses pieds la vallée de la Bièvre avec ses marécages qu'il faudra combler plus tard pour le passage en remblai de la rue de Tolbiac, avec ses prairies où paissaient les vaches, ses carrières et ses moulins à eau.(…) "

**Hôpital Broca,
angle des rues Corvisart et Pascal
(27 août 1921).**

——❖❖❖——

Construit sur une partie de l'*abbaye des Cordelières*, ce qui devint l'*Hôpital Broca* en 1892 fut successivement une maison de refuge et de travail, un hospice et enfin une usine avant d'être réformé sous le nom d'*Hôpital de Lourcine* (ancien nom de la rue Broca) à compter du 28 janvier 1836. Cet hôpital a été entièrement démoli en 1973 puis reconstruit.

**Hôpital Broca,
(27 août 1921).**

——❖❖❖——

Ancien bâtiment à contreforts dans la cour. A sa création, l'*Hôpital de Lourcine* était alors réservé aux femmes atteintes de maladies vénériennes à l'exception des prostituées dont le suivi dépendait de l'infirmerie de la *prison Saint-Lazare*.

Angle de la rue des Tanneries (n°5 et 7)
et de la rue Magendie (21 décembre 1964).

———❖❖❖———

Au fond, les anciens bâtiments à contreforts de l'*Hôpital Broca*. François Magendie, médecin (1783-1855), créa la physiologie expérimentale et préconisa contre le choléra, le régime tonique et alcoolique.

Rue Magendie, vue prise de la rue des Tanneries
vers la rue Corvisart
(21 décembre 1964).

———❖❖❖———

Au fond, les anciens bâtiments à contreforts de l'*Hôpital Broca*. François Magendie, médecin (1783-1855), créa la physiologie expérimentale et préconisa contre le choléra, le régime tonique et alcoolique.

**Ecole communale de jeunes filles
42 rue Corvisart, vue prise vers la rue Vulpian,
à gauche la rue Paul-Gervais (27 août 1921).**

———❖❖❖———

Cette partie de la rue Corvisart se nommait, à la fin
du XVIIIème siècle, rue du Champ-de-l'Alouette (ce
nom a été attribué en 1877 à la rue du Petit-Champ-
de-l'Alouette qui reliait la rue Corvisart à la rue
Glacière) en souvenir d'un champ appartenant en
1547 à un certain Eugène Lalouette.

**N°2 rue Paul-Gervais,
Ecole Maternelle, la cour
(27 août 1921).**

———❖❖❖———

**N°2 rue Paul-Gervais,
Ecole Maternelle, façade,
vue prise vers la rue Corvisart
(27 août 1921).**

———❖❖❖———

Rue ouverte en 1891. Savant géologue, Paul Gervais (1816-1877) fut membre de l'Institut et auteur de nombreux et splendides ouvrages – dont Les Trois règnes de la nature (5 volumes parus de 1852 à 1855, en collaboration avec E. Le Maout et M.P.A. Cap, chez Curmer, Paris) – d'histoire naturelle, de géologie et d'astronomie.

**N° 25-27 boulevard Arago,
angle avec la rue des Cordelières
(8 décembre 1965).**

——❖❖❖——

Né en 1786, François Arago, astronome, fut :
membre de l'Institut à 23 ans, professeur à l'Ecole
Polytechnique, ministre de la guerre et de la marine
en 1848, secrétaire perpétuel de l'Académie des
Sciences, directeur de l'Observatoire de Paris... Il est
mort à son poste – à l'Observatoire – le 2 octobre
1853. Toutes les maisons apparaissant sur ce cliché
sont aujourd'hui détruites.

**N° 1 à 11 rue des Cordelières,
vue prise du boulevard Arago
(8 décembre 1965).**

——❖❖❖——

Comme pour le cliché ci-dessus, toutes ces bâtisses ont
été rasées et remplacées par un immeuble moderne.

Ruelle des Reculettes
(5 juillet 1921).

❖❖❖

Vue prise à l'inverse de celle publiée dans *Paris
Disparu* page 240.

**Ruelle des Reculettes n°49
(5 juillet 1921).**

❖❖❖

Déjà jugée " extraordinaire en 1903 " par Gustave Pessard (*Nouv. Dictionnaire de Paris*, E. Rey, Paris, 1904), cette venelle était alors " encore éclairée à l'aide de quinquets plus ou moins fumeux. Sur une porte, ajoute-t-il, on y trouve une inscription ainsi conçue : Respect à la loi et aux propriétés. "

Passage Moret n°9 (5 juillet 1921).

———✦✦✦———

Franchissant le bras ouest de la Bièvre et aboutissant ruelle des Gobelins (rue Berbier-du-Mets), ce passage a disparu en 1925 lors du percement de la rue Emile-Deslandres (cf. *Paris Disparu* p. 247). A propos des tanneries de la Bièvre, cette cour des miracles de la peausserie, Huysmans écrit : "Là, des hangars abritent d'immenses tonneaux, d'énormes foudres, de formidables coudrets, emplâtrés de chaux, tachés de vert-de-gris de cendre bleue, de jaune de tartre et de brun loutre ; des piles de tan soufflent leur parfum acéré d'écorce, des bannes de cuir exhalent leur odeur brusque ; "... (suite page 95). *(Pages 92 et 93)*

Rue Léon-Durand (devenue rue Gustave-Geffroy), vue prise de la rue des Gobelins vers la ruelle des Gobelins (devenue rue Berbier-du-Mets) (juin 1934).

———✦✦✦———

Rue ouverte en 1906. En face, la partie postérieure du château de la Reine Blanche.

Rue Léon-Durand (rue Gustave-Geffroy) vue prise vers la ruelle des Gobelins (rue Berbier-du-Mets) (juin 1934).

———✦✦✦———

A gauche, la *Manufacture des Gobelins*. Le terrain vague existe curieusement toujours, il est aujourd'hui simplement séparé de la rue par un muret.

**Ruelle des Gobelins
(devenue rue Berbier-du-Mets),
à gauche les jardins des Gobelins, à droite
la Manufacture des Gobelins (1933).**
———— ❖❖❖ ————

Jusqu'en 1910, date à laquelle la rivière de Bièvre fut recouverte entièrement, la dernière partie de la ruelle des Gobelins en longeait le bras est jusqu'au boulevard Arago. De la rue Corvisart au boulevard Arago, les deux bras de la Bièvre enserrait l'île aux Singes, îlot très allongé coupé dans sa partie haute par le passage Moret (cf. pages 92 et 93) et qu'occupaient les jardins des Gobelins (devenus le square René-le-Gall), le pavillon de Julienne (détruit en 1968) et aujourd'hui le Garde-meuble national.

**Jardins des Gobelins, vue prise vers
la ruelle des Gobelins (rue Berbier-du-Mets)
et la Manufacture des Gobelins (1933).**
———— ❖❖❖ ————

(suite de la page 94) … " des tridents, des pelles, des brouettes, des râteaux, des roues de rémouleurs gisent de toutes parts, en l'air, des milliers de peaux de lapins racornies s'entrechoquent dans des cages ; des peaux diaprées de taches de sang et sillées de fils bleus, des machines à vapeur ronronnent et au travers des vitres l'on voit, sous les solives où des volants courent, des ouvriers qui écument l'horrible pot-au-feu des cuves, qui ratissent des peaux sur une douve, et le passage est entièrement blanc, les toits, les pavés, les murs sont poudrés à frimas "… (suite page 96)

Jardins des Gobelins,
vue prise vers la Manufacture des Gobelins
(1933).

(suite de la page 95)... " C'est au cœur de l'été, une éternelle neige produite par le raclage envolé des peaux. La nuit, par un éclair de lune en plein mois d'août, cette allée morne et glacée devient féerique "...
(suite page 97)

Jardins des Gobelins, allée centrale,
vue prise vers la Manufacture des Gobelins
(1933).

❖❖❖

(suite de la page 96)… " Au-dessus de la Bièvre, les
terrains des séchoirs, les parapets en moucharabis des
fabriques se dressent inondés de froides lueurs ; des
vermicelles d'argent frétillent sur le cirage liquéfié de
l'eau, l'immobile et blanc paysage évoque l'idée d'une
Venise septentrionale et fantastique ou d'une impos-
sible ville d'Orient fourrée d'hermine ! ". (*La Bièvre*
par J. K. Huysmans, 1886).

**Angle de l'avenue d'Orléans n°1
(aujourd'hui avenue du Général-Leclerc) et de
la place Denfert-Rochereau (juin 1929).**

❖❖❖

Cet ancien prolongement de la rue d'Enfert (une première partie a été absorbée par le boulevard Saint-Michel, une seconde est devenue la rue Henri-Barbusse et une troisième l'avenue Denfert-Rochereau) a remplacé, à partir de 1730, la vieille route d'Orléans (rue du Faubourg-Saint-Jacques et rue de la Tombe-Issoire. Longtemps nommée chemin de Montrouge et grand chemin de Bourg-la-Reine, l'avenue d'Orléans était un tronçon de la nationale 20 avant d'être annexée à Paris le 1er janvier 1860. Elle se nomme avenue du Général-Leclerc depuis 1948, du nom de Philippe de Hauteclocque, commandant de la 2ème division blindée qui entra à Paris le 25 août 1944. Signalons qu'au n°5 de l'avenue, se situait le café du Lion ou se rendait souvent Lénine lorsqu'il habitait Paris. L'hôtel Lavallière et le café-brasserie l'Oriental on été détruits et remplacés par un immeuble de sept étage.

Place circulaire rue Hallé (n°12 à 32)
(vers 1925).
——◆◆◆——

Cette très jolie place est restée presque intacte de
nos jours, conservant sont aspect provincial. La rue
Hallé, du nom de Jean-Noël Hallé (1754-1822) qui

fut, entre autres, médecin de Napoléon Ier, résulte
de la réunion, en 1865, de trois voies : l'avenue de
la Santé (située entre les rues de la Tombe-Issoire et
Ducouëdic), la rue Neuve-Saint-Jacques (de la rue
Ducouëdic à la rue Rémy-Dumoncel), et enfin de
l'avenue du Capitaine (de la rue Rémy-Dumoncel à
la rue du Commandeur).

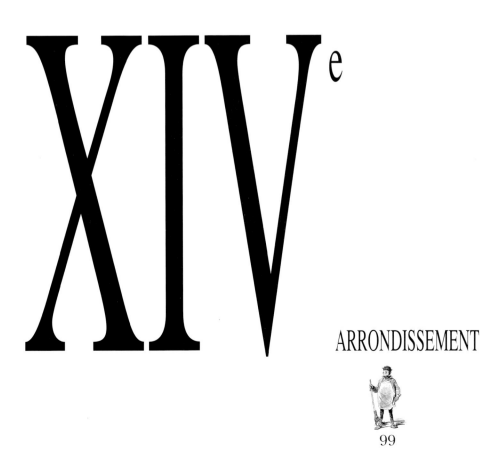

ARRONDISSEMENT

Le petit ramoneur.

N°119 boulevard de Port-Royal, la Maternité (vers 1930).

❖❖❖

Cette ancienne abbaye, édifiée dans la première moitié du XVIIème siècle, a été fermée à la Révolution et transformée en prison dite de Port-Libre (parmi ses célèbres pensionnaires citons Malsherbes, Florian et Mlle de Sombreuil). En 1796, elle devient la Maison de l'allaitement et, en 1814, la Maternité. La plupart des bâtiments de l'ancien monastère ont été préservés et sont aujourd'hui classés. Le portail sur le boulevard que nous voyons sur ce document a aujourd'hui disparu et a été remplacé par un prolongement de la grille.

119 boulevard de Port-Royal, vue d'ensemble de la chapelle (vers 1930).

❖❖❖

Bâtiment classé.

**N°119 boulevard de Port-Royal,
bâtiment sud de la Maternité (27 novembre 1930).**

❖❖❖

La clinique obstétricale Baudelocque, contenant 300 lits, a été créée en 1886 et ouverte en 1890. C'est ici que le 7 décembre 1815, on déposa le corps du maréchal Ney, fusillé le matin même au carrefour de l'Observatoire. Une statue du maréchal, œuvre de Rude, a été placée le 7 décembre 1853 par ordre de Napoléon III sur l'emplacement exact de l'exécution.

**Rue Campagne-Première,
angle avec le boulevard du Montparnasse n°146
(juin 1929).**

❖❖❖

Installé dans cette maison basse disparue au début des années trente, The Jockey avait succédé à l'Académie du Caméléon, un cabaret fondé par le sculpteur Levet en 1921. The Jockey était alors une boite de nuit à la mode animée par la chanteuse Kiki dont le répertoire se composait surtout de chansons de corps de garde. *(Pages 102 et 103)*

Angle de l'avenue d'Orléans n°45 (avenue du Général-Leclerc) et de la rue Ducouëdic n°67 (juin 1929).

—❖❖❖—

Rue ouverte en 1850 sous le nom de rue Neuve-d'Orléans. Elle a reçut, en 1864, le nom de Charles-Louis, chevalier du Couëdic de Kergoualer (1840-1780). En 1842, un géographe du nom de Sanis créa sur la pelouse du Château du Maine un immense "géorama", une carte en relief incluant la France, la Belgique, la Suisse et une partie de l'Italie et de la Méditerranée, d'une surface d'environ 3300 m². Ce géorama eut un franc succès mais disparu en décembre 1844 dans un incendie.

N°53 à 63 avenue d'Orléans (avenue du Général-Leclerc), vue prise vers la rue Bezout (juin 1929).

—❖❖❖—

Anciennement rue Neuve-de-la-Tombe-Issoire (ainsi nommée de 1863 à 1867), la rue Bezout ne s'étendait alors que de la rue de la Tombe-Issoire à la rue Montbrun. Elle a ensuite été prolongée jusqu'à l'avenue d'Orléans en 1907.

**Église Saint-Pierre de Montrouge
(vers 1922).**

———❖❖❖———

Construite de 1863 à 1869 au cœur de l'ancien Petit-Montrouge, devenu en 1860 une partie du XIVᵉᵐᵉ arrondissement, cette église a été construite par Emile Vautremer, par ailleurs architecte de la prison de la Santé. Nommée aujourd'hui Victor et Hélène Basch, du nom du président de la ligue des droits de l'homme assassiné avec sa femme par la milice en 1944, la place qui lui fait face se nommait autrefois – les premières appellations remontent à la première moitié du XVIIIᵉᵐᵉ siècle – carrefour de la Croix-d'Arcueil, de la Croix-des-Sages puis place du Puits-Rouge (voir légende pour les pages 106 et 107) et Carrefour des Quatre-Chemins.

**N°20 à 24 rue Emile-Dubois.
Vue prise vers la rue de la Tombe-Issoire
(8 décembre 1965).**

❖❖❖

Ouverte à partir de 1905 sous le nom de Paul-Seurat, cette rue ne sera achevée qu'en 1912, date à laquelle on lui attribue celui d'un médecin et député Emile-Dubois (1840-1912). Sur cette vue, il ne subsiste que le premier immeuble à droite.

**Avenue de Chatillon, à gauche l'avenue d'Orléans
(av. du Général-Leclerc) (juin 1929).**

❖❖❖

C'est le puits – il était situé à coté d'un abreuvoir curieusement peint en rouge – d'une auberge pour rouliers installée à l'angle de la route d'Orléans et du chemin de Chevreuse qui a quelque temps été à l'origine du nom de Puits-Rouge attribué à cette place. Toutes les bâtisses apparaissant sur cette photographie sont aujourd'hui détruites et remplacées par des immeubles modernes. (*pages 106 et 107*)

**N°3 à 5 rue de la Sablière (angle avec la rue des
Plantes, voir photo à droite) (21 juin 1967).**

❖❖❖

Au n°3 de cette rue, dans le premier pavillon à gauche (disparu), le poète à l'élégance parnassienne Albert Mérat s'est donné la mort en 1909 à l'âge de 69 ans.

108

**N°11 à 15 rue d'Arcueil
(vue prise vers la rue de l'Amiral-Mouchez)
(15 janvier 1968)**

Depuis la première moitié du XVIIIème siècle, cette rue était un chemin débutant à la barrière de la Santé et menant à Arcueil.

N°7 à 11 rue des Plantes (angle avec la rue de la Sablière, voir photo de gauche) (21 juin 1967).

—◆◆◆—

Au XIXème siècle, ce quartier était tout particulièrement riche en restaurants et autres caboulots de plus ou moins bonne réputation. Dans un secteur limité par l'avenue Edgar-Quinet, la rue Poinsot (à cette époque le passage des Vaches), l'avenue du Maine et la rue du Départ, juste à l'extérieur du mur des Fermiers-Généraux, à la barrière du Maine, se trouvait un très célèbre restaurant : La Californie.

Tenu par le père Cadet – qui termina son existence comme maire du XIVème arrondissement – et sa femme, boiteuse on l'appelait " la mère Cinq-et-Trois-font-Huit ", cet établissement avait une clientèle remarquable : "la plus riche collection de porte-haillons, de loqueteux, de guenilleux qu'il soit possible d'imaginer ". Dans un vaste hangar, pour huit sous, les bohèmes et autres clochards mangeaient de larges morceaux de viandes dans des assiettes attachées à la table – il en était de même pour les couverts et les gobelets – par une chaînette… Cette partie de la rue, située entre l'avenue du Maine et la rue Bénard, a été ouverte en 1867.

**N°21 et 21 bis rue Jacquier
(10 mai 1967).**

——— ❖❖❖ ———

Rue ouverte en deux étapes de 1883 à 1910. Cet
emplacement, visiblement occupé par un marchand
de charbon, gaz et mazout, ainsi que ceux situés plus
à gauche de ce document, ont été remplacés par
une école maternelle. *(Pages 110 et 111)*

**Angle des rues Froidevaux n°11bis
et Boulard n°1 (vers 1919).**

——— ❖❖❖ ———

C'est au n°29 de la rue Boulard que Paul Gauguin
(1848–1903) vivait en 1873, époque à laquelle il se
destinait encore à une carrière d'employé de banque.
Cette année-là, il fait la rencontre d'Émile Schuff-
necker qui contribue de façon décisive à sa découverte du monde de la peinture, et, plus encore, il
épouse, le 22 novembre, Mette Gad, récemment
rencontrée à la pension Aubé.

**Angle des rues Hippolyte-Maindron n°45
et du Moulin-Vert n°58
(15 octobre 1972).**

❖❖❖

Cette partie de la rue du Moulin-Vert, située entre
l'avenue du Maine (anciennement Chaussée du
Maine) et la rue Didot (anciennement sentier du
Terrier-aux-Lapins), existe depuis 1730. Elle se
nommait chemin des Bœufs dans son premier
tronçon et passage de la Chaumière dans le second.

Place Félix-Faure,
église Saint-Jean-Baptiste-de-Grenelle
(vers 1924).

———❖❖❖———

La première pierre de cet édifice fut posée le 2 septembre 1827 par la duchesse d'Angoulème. Il fut édifié par l'architecte Bontat et livré au culte en septembre 1828 ou en 1831. De 1924 à 1926, il a été agrandi d'un transept et d'un chœur, en même temps que le plafond de la nef était remplacé par un berceau éclairé de fenêtres. Le maître-autel, en marbre, passe pour avoir été édifié, en 1869, avec les débris revendus par des brocanteurs de celui qui avait été donné à Notre-Dame par Louis XIV et que supprima Viollet-le-Duc en 1865.

**N°5 à 19 rue Linois,
vue prise vers la rue des Entrepreneurs
(12 janvier 1966).**

———❖❖❖———

Cette rue, nommée rue du Pont jusqu'en 1864, est aujourd'hui presque entièrement recouverte par le complexe commercial Beaugrenelle.

XVe ARRONDISSEMENT

Merveilleuse, 1793.

Avenue de Ségur, à gauche le boulevard Garibaldi,
à droite la rue Chasseloup-Laubat (vers 1920).

———❖❖❖———

Cette partie de l'avenue – de l'avenue de Saxe au
boulevard Garibaldi – a prolongé, en 1867, une
première section qui débutait place Vauban. La rue
Chasseloup-Laubat, a, pour sa part, été ouverte en
1890 sous le nom de Canrobert. La pharmacie, située
à gauche de l'immeuble, est toujours en activité.

Passage Dechambre (disparu), vue prise
du boulevard de Vaugirard vers la rue Falguière
(25 juin 1972).
———❖❖❖———

N°32 boulevard de Vaugirard,
le passage Dechambre (disparu)
(20 mai 1969).
———❖❖❖———

Un complexe commercial, la galerie Vaugirard, occupe aujourd'hui l'emplacement de cette voie privée ainsi nommée depuis 1885 (nom du propriétaire).

Autrefois, le village de Vaugirard disposait de splendides pâturages et d'immenses étables et fournissait, dans les premiers siècles de la monarchie, tous les bestiaux devant servir à l'approvisionnement de la capitale. *(Pages 118 et 119)*

N°24 rue Saint-Amand, angle avec la rue Labrouste (23 février 1966).

——— ❖❖❖ ———

Ouverte vers 1861, la rue Saint-Amand a été prolongée, sur un tracé déjà existant, jusqu'à la rue de Vouillé en 1924. Toute les bâtisses à droite, inscrites entre les rues Saint-Amand, Labrouste et de Vouillé ont été détruites.

N°26 rue de Vouillé, angle avec le n°2 à 8 rue Santos-Dumont (21 juin 1967).

——— ❖❖❖ ———

Avant de recevoir, en 1933, le nom de l'aviateur brésilien Alberto Santos-Dumont (1873-1932), cette voie portait le nom de boulevard Chauvelot. Le nom de Vouillé fut attribué à la première en 1868 en souvenir de la victoire que Clovis remporta sur les Visigoths en 507.

N°27 à 37 rue Brancion, vue prise vers la rue de Vouillé (21 juin 1967).

———❖❖❖———

Cette partie de la rue Brancion, de la rue de Vouillé à la rue des Morillons a été ouverte en 1901.

Théâtre de Grenelle, 55 rue de la Croix-Nivert (vers 1925).

———❖❖❖———

Construit en 1828, le Théâtre de Grenelle avait une capacité de 1300 places. Il a été détruit et remplacé par un immeuble dont le rez-de-chaussée fut longtemps une salle de bal aujourd'hui fermée. *(Pages 122 et 123)*

N°26 rue de Vouillé, à gauche la rue Brancion (21 juin 1967).

———❖❖❖———

Tous les hangars (et la station-service de la rue Brancion) situés dans le périmètre des rues Santos-Dumont, de Vouillé et Brancion ont été détruits (voir ci-contre et ci-dessus).

N°77 rue Violet, angle avec la place Violet (vers 1925).

———❖❖❖———

Ancienne maison du chimiste Anselme Payen (1795-1871), membre de l'Institut et important manufacturier de Grenelle. Il est à l'origine des progrès décisifs dans la fabrication du sucre de betterave. Demeure démolie en 1974. *(Pages 124 et 125)*

N°16 à 22 rue Héricart (12 janvier 1966).

❖❖❖

Cette ancienne voie de la commune de Grenelle se
nommait rue Traversière avant d'être rebaptisée de
son nom actuel en 1864, de celui du minéralogiste et
agronome François Héricart de Thury (1776-1854) à
qui l'on doit la remise en état des Catacombes de
Paris, du palais des Thermes et de l'Hôtel de Cluny. Il
ne reste qu'un court tronçon de cette rue, toute la
partie apparaissant sur cette photo étant aujourd'hui
recouverte par le complexe commercial Beaugrenelle.
La rue Héricart croisait auparavant la rue Emeriau et
rejoignait la place Fernand Forest. *(Pages 126 et 127)*

N°41 à 47 rue de Dantzig (25 janvier 1967).

❖❖❖

Une entrée des abattoirs de Vaugirard. Construits
par Moreau de 1894 à 1897, les abattoirs de Vaugirard ont été remplacés en 1982 par un parc auquel
on a donné le nom du chanteur-compositeur
Georges Brassens, décédé en 1981, dont la maison se
trouvait non loin de là, au 42 rue Santos-Dumont.

N°10-12 rue de la Rosière, vue prise vers la rue de l'Eglise (10 décembre 1969).

❖❖❖

Anciennement rue Imbault, cette voie doit son
nom au couronnement d'une rosière qui eut lieu le
27 juin 1826 lors de l'inauguration du village de
Grenelle. Toute la série d'immeubles apparaissant
sur cette photo sont aujourd'hui détruits.

128

N°61 rue Desnouettes (23 février 1966).

❖❖❖

Ancien chemin de Vaugirard à Issy, la rue Desnouettes se nommait, de 1837 à 1864, rue Notre-Dame. Toutes les bâtisses apparaissant sur cette photo, à l'exception des immeubles neufs au fond, ont été détruites.

N°279 à 285 rue de Vaugirard, vieilles faces en vis à vis de la place de Vaugirard (vers 1922).

❖❖❖

Cet ensemble de vieilles maisons s'agrémentaient de cours et de courettes particulièrement pittoresques , il ne subsiste aujourd'hui que l'immeuble du n°283 (celui avec la mention A St Lambert, un spécialiste des couronnes mortuaires...), la quincaillerie, la charcuterie, le bottier, le marchand de journaux et le marchand de cycles polymultipliés ont eux bel et bien disparus. *(Pages 130 et 131)*

Place d'Auteuil, le monument d'Aguesseau (vers 1921).

—◆◆◆—

Ancienne place publique du village d'Auteuil, elle se nommait place d'Aguesseau de 1802 à 1867. Elle est en grande partie située sur l'emplacement de l'ancien cimetière d'Auteuil, transféré en 1790 dans l'actuelle rue Claude-Lorrain, dans lequel tous les habitants du village furent inhumés du XIème siècle à la révolution. Le monument, érigé à la demande de Louis XV, est dédié au chancelier Henri-François d'Aguesseau (1658-1751), dont la tombe, avec celle de son épouse, fut profanée en 1793 et leurs ossements répandus… La pharmacie, à droite, est toujours en activité.

**Jardins potagers des fortifications,
porte de Passy
(19 juillet 1917).**

———❖❖❖———

Depuis 1862, l'ancienne rue Militaire, qui contournait les fortifications dans toute leur étendue, a été divisée en dix-neuf boulevards auxquels ont été donnés des noms de généraux du premier Empire : Murat, Suchet, Lannes, Gouvion-Saint-Cyr, Berthier, Bessières, Ney, Macdonald, Serurier, Mortier, Davout, Soult, Poniatowski, Masséna, Kellermann, Jourdan, Brune, Lefebvre, et Victor.

XVIe ARRONDISSEMENT

L'arracheur de dents.

Avenue des Champs-Elysées avenue Marceau et,
vue prise de l'Arc de Triomphe (24 septembre 1920).

———❖❖❖———

Avenue des Champs-Elysées, vue prise de l'Arc de Triomphe
(24 septembre 1920).

———❖❖❖———

Avenue d'Iéna et avenue Kléber,
vue prise de l'Arc de Triomphe
(24 septembre 1920).

———❖❖❖———

On aperçoit au loin la célèbre Grande Roue de Paris, construite pour l'Exposition Universelle de 1900 par une compagnie anglaise. Elle était haute de 106 mètres et comprenait 5 séries de 8 voitures (six de 2ème classe, une de 1ere classe et un wagon restaurant !). Installée au n°74 avenue de Suffren, la Grande Roue était une fête foraine à elle toute seule puisque sur son emplacement se trouvait un restaurant, un théâtre, des jardins (les duellistes s'y rendaient volontiers, un hôtel, des baraques de marchands de souvenirs et, en sous-sol, un parc d'attractions ! *(Pages 134 et 135)*

Avenue Hoche et avenue Friedland,
vue prise de l'Arc de Triomphe (24 septembre 1920).

———❖❖❖———

Avenue de Wagram et avenue Hoche,
vue prise de l'Arc de Triomphe (24 septembre 1920).

———❖❖❖———

137

Avenue Mac-Mahon, vue prise de l'Arc de Triomphe
(24 septembre 1920).

Avenue de la Grande-Armée et avenue Carnot,
vue prise de l'Arc de Triomphe (24 septembre 1920).

Avenue Foch et avenue de la Grande-Armée,
vue prise de l'Arc de Triomphe (24 septembre 1920).

❖❖❖

Avenue Kléber et avenue Victor-Hugo,
vue prise de l'Arc de Triomphe (24 septembre 1920).

❖❖❖

**N° 26 rue de Chaillot, église Saint-Pierre-de-Chaillot,
vue prise vers l'avenue Marceau (janvier 1929).**

———— ❖❖❖ ————

Cette église, dont les origines remontent au XIème
siècle, a fait l'objet de nombreuses reconstructions
de la fin du XVIIème jusqu'en 1785. Démolie au début
des années trente, l'ancienne église a été remplacée
de 1933 à 1937 par l'édifice actuel, de type romano-
byzantin, dont la façade se trouve désormais sur
l'avenue Marceau.

Angle de la rue de la Manutention et de l'avenue du Président-Wilson, vue prise vers la Manutention en démolition (vers 1930).

❖❖❖

Sur cet emplacement se trouvait au début du XVIIème siècle une manufacture de savonnerie qui employait les enfants d'un orphelinat voisin créé par Marie de Médicis. Il fut ensuite occupé par une manufacture de Tapis "façon de Perse et à la Turque" avant d'être transformée en Manutention militaire à compter de 1836. Cette manutention renfermait l'approvisionnement de 40 000 hommes pendant trois mois ! Incendiée à deux reprises, elle fut finalement détruite et remplacée par le musée d'Art Moderne en 1937.

Rue Le Tasse, vue prise depuis la rue Benjamin-Franklin (vers 1920).

❖❖❖

Voie privée ouverte en 1904. On lui a alors donné le nom du poète italien Torquato Tasso (1544-1595) dit Le Tasse qui fut, entre autres, l'auteur d'un texte célèbre : *Jérusalem délivrée*. Cette rue, restée intacte, se finit en impasse dominant l'avenue des Nations-Unies.

Passage des Eaux (devenue rue des Eaux),
vue prise vers la rue Raynouard (vers 1923).

———❖❖❖———

Rue ouverte vers la moitié du XVIIème siècle. C'est lors des travaux que la source des eaux minérales de Passy fut découverte. Elle disparut vers 1770. Non loin d'ici, au n°18 de la rue Franklin (l'ac- tuelle rue Benjamin-Franklin), dans une petite maison entourée d'un jardin, habita Joseph Michaud de 1832 à sa mort, le 30 septembre 1839. Le fameux auteur de l'Histoire des Croisades, qui fut admirablement illustrée par Gustave Doré, avait été condamné par contumace à deux reprises durant la Révolution : une première fois à mort et une seconde par déportation... à chaque fois, il résolut ces problèmes en prenant la fuite !

**Rue Berton, vue prise vers l'est et le n°24.
A gauche terrasse du jardin de Balzac
(27 octobre 1939).**

❖❖❖

Comme dans la photographie suivante, le décor de cette vue est actuellement parfaitement inchangé.

Loin des bruits du vieux Paris, Balzac ne recevait que très peu. Quelques rares amis y étaient les bienvenus tels que Gérard de Nerval, Théophile Gautier, Léon Gozlan et Marceline Desbordes-Valmore. Célèbre pour son impressionnante consommation de café, Balzac avait ses trois préférés : le martinique, le moka et le bourdon.

Rue Berton, vue prise à la hauteur du n°24
vers l'est (27 octobre 1930).

———— ❖❖❖ ————

Restée intacte, cette section qui conduit aujourd'hui
rue d'Ankara est dans la parfaite continuité de la
vue précédente. A l'époque ou Balzac y demeurait,
la rue Berton se nommait rue du Roc (1812 - 1865)
et auparavant rue Basse (1731) – par opposition à la
rue Haute (Raynouard) – puis rue des Roches
(1773) et enfin des Blanchisseuses (1793).

Rue Berton. **Vue prise de la fenêtre du cabinet de travail de Balzac par dessus la rue (27 octobre 1930).**

❖❖❖

Au premier plan, la muraille de clôture de la propriété de la princesse de Lamballe située en face (aujourd'hui l'ambassade de Turquie). Devenue propriétaire de ce somptueux hôtel vers 1784, la princesse de Lamballe y mena une vie recluse, loin de la cour, jusqu'en 1789. Elle était, comme l'écrit Jacques Hillairet, " une personne douce, jolie, gracieuse, intelligente et ne s'était jamais occupée

de politique ". Réfugiée en Angleterre dans les premiers mois de la Révolution, elle revint cependant à Paris pour se mettre au service de la reine Marie-Antoinette ce qui la conduisit à être " jugée " à la prison de la Force le 3 septembre 1792, le second des quatre jours (2 au 5) des tristement célèbres " Massacres de septembre ". A la sortie du tribunal, elle fut criblée de coups, déshabillée, décapitée à l'aide d'un couteau puis le perruquier Charlat lui ouvrit la poitrine, lui arracha le cœur qu'il planta au bout de son sabre. D'autres actes autant ignobles qu'obscènes suivirent. Sa tête, juchée au bout d'une pique, et son corps éventré furent ensuite promenés à travers les rues de Paris…

N°47 rue Raynouard, le jardin de Balzac (1er octobre 1920).

❖❖❖

Voici la liste des différents domiciles de Balzac à Paris : 9 rue de Thorigny (1814), 128 rue du Temple, 9 rue Lesdiguières (1819), 17 rue Porte-foin, 7 rue du Roi-Doré (1820), 17 rue des Marais-Saint-Germain (l'actuelle rue Visconti) où il avait son imprimerie (1825-1827), 2 rue de Tournon (1827-1830), 1 rue Cassini (1829-1834), 12 rue des Batailles (disparue, absorbée par l'avenue d'Iéna) (1834), 22 rue de Provence, 112 rue de Richelieu... il quitta la rue du Roc (Berton) pour la rue Fortunée où il devait décéder le 18 août 1850.

Rue Berton (partie devenue rue d'Ankara), vue prise vers le nord et vers l'entrée de l'hôtel de Lamballe (27 octobre 1930).

❖❖❖

A droite, ces constructions en cours de démolition dépendaient de la propriété Delessert, ancienne-ment domaine de Lauzun. Banquier, passionné de botanique, amoureux des arts et philanthrope – il créa la Caisse d'épargne et plusieurs œuvres de bienfaisance – Benjamin Delessert (1773 – 1847) devint régent de la Banque de France avant même d'avoir trente ans, Napoléon lui avait déjà donné la croix d'honneur puis nommé baron. Sur l'empla-cement de cette propriété, Delessert avait créé une raffinerie de sucre de betterave et, surtout, un pont suspendu – un des premiers construit en France – qui lui permettait de rejoindre son entreprise depuis son domicile. Par ailleurs, remarquons qu'un trottoir a été construit entre ce cliché et celui de la page 147.

**N° 14 rue Berton (partie devenue rue d'Ankara),
vue prise vers le nord (5 mai 1920).**

❖❖❖

Depuis 1954, la partie sud de la rue (voir aussi le
plan plus large de la page 146), située aujourd'hui
entre l'avenue du Président Kennedy et la rue
Marcel-Proust, se nomme rue d'Ankara. Cette
section dont l'allure était si merveilleusement pittoresque est désormais entièrement démolie.

Parc et contreforts du 14 rue Berton
(5 mai 1920).

———❖❖❖———

Il ne subsiste rien de cet ensemble.

N°47 rue Raynouard,
vue de la cour en contrebas (vers 1830).
❖❖❖

C'est toujours par l'escalier du n°47 que l'on parvient à la maison de Balzac. Avant que cette dernière de fut bâtie, l'emplacement des n°47 et 49 était occupé par la Folie-Bertin, une salle de théâtre entourée d'un splendide jardin aux allures cham-

Pêtres que le sieur Bertin aménagea pour Pauline Hue, artiste sans grand talent mais courtisane émérite. Jetée à la rue en 1761, après que Bertin l'ait surprise en compagnie d'un certain Léveillard, un employé des Eaux minérales de Passy, Pauline eut encore quelques glorieuses et galantes aventures avant de mourir dans la misère en 1805 à l'âge de 71 ans, elle avait renoncé au théâtre en 1780.

N°13 rue Raynouard, façade sur jardin, à droite la rue des Eaux et son escalier (vers 1923).

———❖❖❖———

Cette splendide propriété dont les origines remontent au début du XVIIème siècle descendait jusqu'au quai de Passy, elle a été remplacée en 1931 par un ensemble moderne.

N°67 et 69 rue Raynouard (vers 1925).

———❖❖❖———

Une des terrasses du parc du château de Passy (ou de Boulainvilliers). Il n'en subsiste aujourd'hui qu'une inscription… Maurice Maeterlinck et Georgette Leblanc ont demeuré au n°67. Le château se trouvait approximativement sur l'emplacement des n°74 à 98 de la rue.

**N°20 rue des Vignes, vue prise
vers la rue Raynouard (1933).**

———❖❖❖———

Dans les jardins du n°1 de la rue, au fond à droite, se trouvait un petit hôtel où Napoléon III avait installé sa maîtresse Marguerite Bellanger, née Justine Leboeuf et surnommée Julie la Vache puis Margot la Rigoleuse. Elle eut un fils de l'empereur, Charles, qui mourut à Passy quelques années après elle, vers 1890.

Quai Louis Blériot, vue prise depuis
les usines Citroën vers l'est (amont)
(11 juin 1952).

———❖❖❖———

Cet ancien chemin de halage fut aligné en 1883 et reçut alors le nom de quai d'Auteuil. Il a été rebaptisé en 1937 du nom de celui qui effectua en 1909 la première traversée de la Manche en avion : Louis Blériot (1872-1936). Agé de 76 ans, Jules Supervielle est mort en 1960 au n°15 de ce quai.

Quai Louis Blériot, vue prise depuis
les usines Citroën vers l'ouest et le pont-viaduc
d'Auteuil (aval) (11 juin 1952).

———❖❖❖———

Construit de 1863 à 1865 afin de prolonger, à l'occasion de l'Exposition Universelle de 1867, le chemin de fer de ceinture depuis la gare d'Auteuil jusqu'à Grenelle et Vaugirard, ce pont-viaduc fut la cible de l'artillerie prussienne en 1870-1871 et touché lors d'un bombardement le 15 septembre 1943. Il sera finalement détruit en 1960 et remplacé par le pont du Garigliano. *(Pages 152 et 153)*

Emplacement de l'ancienne usine à gaz de Passy, vue prise de la rue Raynouard. À droite, la rue des Boulainvilliers (1933).

❖❖❖

A l'exception des deux immeubles situés vers le centre-droit de la photo, toutes les bâtisses ont été détruites. La plupart ont été remplacées à l'exception de celles se trouvant le long de la Seine du pont de Grenelle au pont de l'actuel RER. *(Pages 154 et 155)*

Emplacement de l'ancienne usine à Gaz de Passy, vue prise de la rue Raynouard non loin de la rue du Ranelagh (à gauche) (1933).

❖❖❖

Resté longtemps en friche, le terrain qu'occupait l'usine à gaz a finalement été utilisé pour y installer la maison de la Radiodiffusion nationale (qui deviendra l'ORTF). Sa construction, réalisée d'après les plans de l'architecte Henry Bernard débuta en 1955 pour ne s'achever qu'en 1963.

Avenue Saint-Philibert (devenue rue Alfred-Bruneau), vue prise depuis la rue des Vignes vers la place Chopin (1933).

❖❖❖

Ouverte en 1846, l'avenue Saint-Philibert se nommait jusqu'en 1863, rue La Fontaine, puis a été rebaptisée rue Alfred-Bruneau en 1938. Voie privée, elle fut longtemps fermée à ses deux extrémités par des grilles. Toutes les bâtisses situées après le premier pavillon à gauche ont été remplacées par des immeubles modernes.

**N°75 rue des Vignes, vue prise vers la gare
et la rue des Boulainvilliers (vers 1920).**

❖❖❖

Inaugurée le 5 juin 1900, lors de l'Exposition universelle, la station Boulainvilliers était sur le tronçon reliant la gare de Courcelles-ceinture et le Champs de Mars. Du fait de la concurrence du métropolitain, la section Muette–Champs-de-Mars fut désaffectée en 1924 et la gare de Boulainvilliers transformée en habitation. Elle fut finalement remise en service lors de la création de la ligne du RER C.

**Avenue Mozart, angle avec la rue des Vignes,
à gauche, la rue Pajou (1929).**

❖❖❖

Ouverte en 1867 entre les rues La Fontaine et Boislevent, puis, en 1896 jusqu'à la chaussée de la Muette, cette avenue a fait disparaître l'impasse Pajou (à l'emplacement du n°36) et le débouché de l'impasse Mozart (actuellement square Mozart), anciennement sentier de la Chaise qui menait de la rue de la Glacière (devenue rue Davioud) au lieu dit de La Chaise. Comme il est permis de l'imaginer, cette maison (15 avenue Mozart) a été démolie et remplacée peu après par un immeuble de sept étages.

N°59 rue Chardon-Lagache, vue prise vers le boulevard Exelmans (vers 1918).

———❖❖❖———

Sur l'emplacement des n°27bis, 29 et 29bis de la rue Chardon-Lagache, dans la villa de la Réunion, se trouvait une maison ou habita Leroy, modiste de Joséphine, et ou mourut en 1866 le célèbre dessinateur et humoriste Gavarni, de son vrai nom Sulpice-Guillaume Chevalier. Parmi ses nombreuses demeures citons le 27 rue Saint-Lazare (1929), Montmartre (1829 à 1835), la prison pour dettes de Saint-Lazare (1835), 43 rue blanche (1836 et 1837), 1 rue Fontaine (1837 à 1846) et enfin, jusqu'en 1865, dans l'ex n°49 de la route de Versailles, au Point-du-Jour où il disposait d'une splendide maison entourée d'un grand parc dans lequel il collectionnait les lierres et les essences rares… avant d'en être exproprié lors de la création du chemin de fer de ceinture.

**N°87 rue La Fontaine,
vue prise de la rue Donnizetti (sans date).**

—❖❖❖—

C'est au n°96 de la rue La Fontaine (un peu plus haut sur le trottoir de gauche) qu'est né Marcel Proust, le 10 mai 1871. Lorsqu'il décéda, en 1922, le quartier avait alors à peu près cette physionomie.

**N°2 place des Perchamps (à gauche.
Devenue une section de la rue Leconte-de-Lisle).
A droite, la rue des Perchamps, à gauche,
vue prise vers la rue Pierre-Guérin (vers 1922).**

—❖❖❖—

Les origines de la rue des Perchamps remontent au XIVème siècle. La place des Perchamps, une ancienne voie de la commune d'Auteuil, fut rattachée à la rue Leconte-de-Lisle en 1927. Toutes ces constructions et jardins ont été remplacés par divers immeubles dès les années trente, faisant ainsi disparaître cette étrange et merveilleuse ambiance champêtre. *(Pages 160 et 161)*

**N°26 rue Boileau,
vue prise vers la rue d'Auteuil
(15 septembre 1923).**

❖❖❖

En 1685, à l'emplacement du n°26, Nicolas Boileau-Despréaux acheta une petite maison qu'il agrandit avant de la revendre en 1709 à son ami Pierre Leverrier qui était alors écuyer et trésorier de France. Né en 1636, l'ami de Corneille, de Molière, de Racine et de La Fontaine était devenu infirme et commençait à devenir sourd lorsqu'il demeurait ici, surtout occupé à cultiver son jardin, à jouer aux quilles et à recevoir quelques proches. Il est mort en 1711 rue de l'Abreuvoir, voie discrète disparue en 1813 située derrière Notre-Dame sur l'emplacement actuel du square de l'Île-de-France. En 1863, il ne subsistait que l'escalier et un premier étage de la maison de Boileau… aujourd'hui, il n'en reste rien.

N°46 rue de la Source et l'extrémité nord de la rue Pierre-Guérin (11 mai 1966).

— ❖❖❖ —

Cette section de la rue Pierre-Guérin a été ouverte en 1856 entre la rue La Fontaine et la rue de la Source, sans oublier le tronçon visible sur cette photo qui se termine en impasse. La première partie, de la rue d'Auteuil à la rue La Fontaine, n'était autrefois qu'un sentier dit des Vignes qui fut aménagé en rue en 1837 sous le nom de rue des Vignes puis rue Magenta (1859). Elles furent toutes deux réunies en 1869 sous son nom actuel, celui du peintre d'histoire Pierre-Narcisse Guérin (1774-1833).

Parc et château de la Muette avant leurs disparitions (1926).

— ❖❖❖ —

Construit vers le milieu du XVIᵉᵐᵉ siècle, le château de la Muette eut quelques illustres propriétaires parmi lesquels on remarquera la reine Margot, la duchesse de Berry – morte dans ces murs le 21 juillet 1719 à l'âge de 24 ans – et le roi Louis XV qui l'agrandit considérablement entre 1741 et 1747. Après la disparition en 1920 du comte de Franqueville, membre de l'Institut et dernier propriétaire, le parc et le château de la Muette furent condamnés… C'était pourtant ici où Pilâtre du Rozier et le marquis d'Arlandes effectuèrent le 21 octobre 1783, en présence de la famille royale, la première ascension aérostatique à bord du " ballon "construit par les frères Montgolfier. Deux heures après un premier échec, l'aérostat s'envolait pour atterrir vingt minutes plus tard sur la Butte-aux-Cailles.

**N°1 à 7 bis rue Félicien-David,
vue prise de la rue Gros vers la rue Rémusat
(vers 1968).**

❖❖❖

Il est impressionnant de constater à quel point le décor de cette photo s'est aujourd'hui complètement transformé : l'électricien, le teinturier, le tapissier, le cafetier, l'épicier et les autres qui animaient ce coin de quartier ont désormais tous rendu leur tablier.

CAFÉ ·

à la Renommée

CAFÉ-RESTAURAN

FAUCON JEAN

ELECTRO TYP

N°55 boulevard Lannes
(28 octobre 1918).

—◆◆◆—

Aujourd'hui, l'immeuble est toujours là, seuls les chevaux et leurs charrettes ont bel et bien disparus (les bâtisses mitoyennes également…).

**Jardins des Fortifications,
porte Maillot (19 juillet 1917).**

—❖❖❖—

Evoquant l'époque où il n'y avait pas de H.L.M.,
Auguste le Breton, fin chroniqueur du monde des
" pégriots " (Jean le Tatoué, Adrien le Basque,
Raoul de Dingue, Charlot la Bourre, Bibi l'Assassin

et tant d'autres…) écrivait en 1972 (Ed. Livre de
Poche) " ces fortifs étaient notre fief, à nous les
malfrats. On y jouaient à la passe anglaise, on possé-
dait les filles dans des trous où vivotait une herbe
galeuse, on s'y battait pour un coup de dés truqués,
pour une gigolette à bas noirs et à accroche-cœur,
pour un mot… pour des riens. Là se trouvait le Pré-
aux-Clercs des rôdeurs. "

**Jardins des Fortifications, lot 1411
(19 juillet 1917).**

—❖❖❖—

**Jardins des Fortifications, groupement
des facteurs de Passy (19 juillet 1917).**

—❖❖❖—

Contrairement à une idée généralement admise, la
surface de Paris n'a cessé de grandir depuis l'annexion des communes avoisinantes en 1860. A cette

date, Paris dispose d'une superficie de 7 800
hectares et va s'étendre au rythme des années – il
s'agit, entre autres, de l'absorption des bois de
Boulogne et Vincennes ainsi que du champ de
manœuvre d'Issy-les-Moulineaux – au point d'atteindre 10 516 ha en 1981. *(Pages 168 et 169)*

N° 15 rue de Villejust (devenue rue Paul-Valéry) : les réservoirs de Passy (vers 1923).
———❖❖❖———

En 1903, les dix-sept principaux réservoirs parisiens contenaient au total 579.000 mètres cubes d'eau dont 413.000 d'eau de source, 127.000 d'eau de rivière et 3.900 d'eau de l'Ourq.

N° 15 rue de Villejust (devenue rue Paul-Valéry) : les réservoirs de Passy (vers 1923).
———❖❖❖———

Cette rue, ouverte en 1825 sous le nom de Villejust – elle prend le nom de Paul-Valéry en 1946 – a vu la création en 1866 des réservoirs de Passy qui venaient en remplacement de ceux de Chaillot. Toujours en activité, ces réservoirs composés de six bassins se trouvent dans le périmètre (sud) des actuelles rues Lauriston, Copernic et Paul-Valéry.

**N° 1-3 rue de la Source (à gauche),
vue prise de la rue Ribéra vers l'avenue Mozart
(13 avril 1966).**

———❖❖❖———

Si vous ne voulez pas rater la projection du film écrit par A. Barret et sorti l'année précédente *Tintin et les* *oranges bleues*, rendez-vous du 13 (date anniversaire de la p'tite Marie) au 19 avril à l'Auteuil-Bon-Cinéma … L'affiche générique de gauche, dessinée par Hergé, est aujourd'hui de toute rareté ! Le jardin et la maison ont été remplacés par un bâtiment moderne : l'abbaye Sainte-Marie.

**N° 48-50 rue Singer,
vue prise vers la rue de Boulainvilliers (1929).**

———❖❖❖———

Benjamin Franklin habita de 1777 à 1785 au n° 1 de la rue (et 64 à 70 rue Raynouard), dans l'hôtel de Valentinois qui fut détruit entre 1905 et 1909. Il y effectua la pose du premier paratonnerre français. Tous ces espaces, y compris ceux situés au-delà de la rue des Boulainvilliers, sont désormais occupés par divers immeubles modernes.

**N°29 rue Singer, passage Singer,
vue prise vers la rue des Vignes (n°36) (1933).**

— ❖❖❖ —

Toute le coté pair de cette voie privée a été détruit. Il
subsiste encore – sans doute pour peu de temps – la
grille du fond qui fermait le débouché du passage sur
la rue des Vignes (celle, située du coté de la rue
Singer, a disparu).

N°44-46 rue Singer, un peu plus à gauche la rue Talma (1929).

——❖❖❖——

Situés à droite du cliché de la page 172 (bas), ces bâtisses et jardins n'ont pas, eux aussi, échappé au pic des démolisseurs.

N°11 rue de l'Annonciation (1ᵉʳ octobre 1920).

——❖❖❖——

Cet immeuble et sa cour si pittoresque (voir aussi page 175), dans laquelle semblent flotter les fantômes des personnages de Hugo, Balzac et tant d'autres, ont aujourd'hui disparu.

N° 11 rue de l'Annonciation
(1er octobre 1920).

❖❖❖

La cour et… le chaton du serrurier. A la fin du XVIIème siècle, la plupart des serrures étaient faites hors de Paris, le plus souvent dans la ville d'Eu dont la plupart des habitants se consacraient à ce travail. Les quincailliers les achetaient ensuite en gros pour les revendre aux ébénistes et aux serruriers. Ces derniers ne fabriquaient pour leur part que les serrures compliquées qui étaient généralement destinées aux coffres-forts de financiers et autres négociants.

Chantier du tunnel des Batignolles
en démolition (avril 1923).

———— ❖❖❖ ————

C'est à la suite de l'accident d'octobre 1921 où deux
trains se heurtèrent dans le tunnel et prirent feu,
que fut décidé sa destruction. Il s'ouvrait, sur la
ligne provenant de la gare Saint-Lazare, légèrement
au sud du boulevard des Batignolles pour débou-
cher juste après la rue de La Condamine.

N°33 rue Boursault, à gauche l'angle avec la rue de La Condamine (vers 1925).

❖❖❖

Ancien emplacement du marché des Batignolles. Ce dernier fut transféré en 1867 au 26 rue Brochant.

La partie située au n°31 fut détruite et remplacée par une caserne de pompier, et, la seconde, que nous voyons sur cette photographie, occupée par une école primaire de filles dont une rénovation a débuté en 2001. Ajoutons que le nouveau marché a été détruit en 1979 et remplacé par un plus moderne.

XVIIᵉ

ARRONDISSEMENT

Merveilleux, 1793.

Villa Guizot, vue prise de la rue des Acacias (22 septembre 1965).

---❖❖❖---

Ouverte en 1819, cette voie privée se nommait impasse des Acacias avant de recevoir, en 1936, celui de François Guizot (1787–1874), historien – on lui doit, entre autres, une *Histoire de France racontée à mes petits enfants* (Hachette, 1875-76) – et ministre de Louis-Philippe. Toute la première partie du coté pair de la rue a été détruite.

Impasse Laugier, vue prise en avant de la rue Laugier (29 septembre 1965).

---❖❖❖---

Cette voie se nommait impasse Sulot avant de recevoir, en 1877, son nom actuel, celui d'André Laugier (1770–1832), chimiste qui fit la campagne d'Egypte en qualité de pharmacien-major des armées de Napoléon. Soulignons dans ce quartier ont été groupés des noms de savants.

Chantier du tunnel des Batignolles en démolition (avril 1923).

---❖❖❖---

(Pages 178 et 179)

N°18 rue des Batignolles, mairie du XVIIème arrondissement, vue prise de la place (vers 1925).

---❖❖❖---

(Pages 182 et 183)

N°18 rue des Batignolles, dépendance de la mairie du XVIIᵉᵐᵉ arrondissement (vers 1925).

❖❖❖

C'est à la suite d'une ordonnance de Charles X du 10 février 1830, que furent détachés les hameaux des Batignolles et Monceau de la commune de Clichy pour ne former qu'une seule commune : les *Batignolles-Monçeau*. Installée au 54, Grande Rue (avenue de Clichy), la première mairie devint vite trop étroite, aussi, la construction d'un nouvel édifice au 18 rue des Batignolles fut-elle décidée en 1847. Elle sera inaugurée le 21 octobre 1848 et, rapidement, les Batignollais la surnommeront "le biscuit de Savoie" à cause de son étrange campanile. Ce bâtiment, comme les deux maisons qui l'entourent, à gauche une école de garçon et à droite une école de fille, sera détruit en 1971 pour laisser place à la mairie actuelle. Ajoutons que le campanile et son horloge à quatre cadrans avait été démoli en 1952.

N°3 rue Girardon (ancien débouché de la rue des Deux-Frères), le moulin de la Galette (vers 1924).

———◆◆◆———

Deux moulins furent successivement peints par les artistes du XIXème siècle, le Radet puis le Bout-à-Fin (devenu ensuite le Blute-Fin), l'un et l'autre sous le nom célèbre de Moulin de la Galette, nom qu'on leur attribuait en raison d'une galette , plat unique qu'on y servait. Pour ne citer que les plus mémorables, ces peintres se nommaient : Georges Michel, Théodore Rousseau, Corot, Van Dongen, Chas Laborde etc., d'autres, comme Renoir et Picasso, s'attachèrent plus spécifiquement à représenter des scènes du bal.

**N°2 rue du Mont-Cenis et église
Saint-Pierre-de-Montmartre, derrière :
la basilique du Sacré-Coeur (vers 1930).**

———❖❖❖———

Dans sa première édification, de 1133 à 1147, cette église est aujourd'hui la plus ancienne de Paris. Les origines de la place du Tertre, située en face du parvis, remontent au XIVème siècle. On y installa, sans doute vers la fin du XVIIème siècle, la potence de justice des Dames de Montmartre, utilisée également pour les besoins de la justice du roi. C'est sur cette place que fut pendu le 27 juin 1775 Joseph Lavallée, il s'était rendu coupable du viol de deux fillettes âgées de sept ans…

XVIIIe

ARRONDISSEMENT

Incroyable, 1796.

N°3 rue Girardon (cf. page 184),
intérieur du moulin de la Galette (vers 1924).

❖❖❖

En 1924, à la date ou est pris ce cliché, il ne subsiste
alors que le moulin Radet qui ne tourne désormais
qu'avec les revenus du bal… Cependant, il était
encore en activité en 1878, le travail de ses meules se
limitant à moudre de l'iris. Quelques années durant,
jusqu'à la fin du siècle environ, ses ailes légendaires
tournaient encore !

N°7 rue Nicolet et 8 passage (Cottin), la " Commune Libre de la butte Montmartre " (1er août 1967).

❖❖❖

Jeune marié, Paul Verlaine vint s'installer brièvement en 1871 à l'ancien n°14 de cette rue, chez les Mauté de Fleurville, ses beaux-parents. La même année, ils furent rejoints par le jeune Arthur Rimbaud " arrivé sans aucun bagage, pas même une valise, ni linge, ni vêtement autres que ceux qu'il avait sur lui " écrira son ancienne épouse, Mlle Mauté, sœur utérine du compositeur Charles de Siray, dans ses *Mémoires inédits*. La bâtisse qui abritait la " Commune Libre de Montmartre ", née durant la Commune, comme sa façade du 8 passage Cottin, est aujourd'hui détruite.

N°2 rue du Mont-Cenis, cimetière et facade latérale, au fond la basilique du Sacré-Coeur (vers 1930).

❖❖❖

Après avoir été longtemps utilisé comme fosse commune, le cimetière Saint-Pierre ou du Calvaire (il fut ainsi nommé ultérieurement) fut réservé à partir de 1801 à des tombes individuelles, et ce, devenu rapidement " complet ", jusqu'en 1823 (elles furent cependant parfois renouvelées de temps à autres). Parmi les sépultures, citons celle contenant le cœur de Bougainville, le navigateur (1811), de Mme Swetchine (1857), de Mgr de Voisins, aumônier de l'empereur (1809), du baron Antoine Portal, premier médecin de Louis XVIII et de Charles X (1832), ainsi que le monument funéraire, reconnaissables sur cette photo, des Lecuyer, une famille de carriers, et celui des Debray, des meuniers... un métier longtemps accroché à la butte !

N°12 et 14 rue du Mont-Cenis (réservoir et dos des immeubles 44 à 48 rue du Chevalier-de-la-Barre) (1933).

❖❖❖

Cette rue est sur le tracé d'un chemin très escarpé, que seuls les piétons et les mulets pouvait emprunter, et cela dès le XIIème siècle. Il menait, par le versant nord de la butte, à l'abbaye de Saint-Denis. Tous les sept ans, lors des premiers jours du mois de mai, des moines l'utilisait – peut-être depuis la période mérovingienne – pour une procession suivie par une foule immense et menée par quatre moines habillés en rouge, portant la tête de Saint-Denis que les nonnes venaient baiser dévotement après son arrivée à l'abbaye de Montmartre. Cette procession eut lieu jusqu'en 1784, la Révolution ayant mis, sept ans plus tard, un terme à cette tradition séculaire. Ce sentier porta longtemps le nom de chemin de la Procession, avant d'être rebaptisé petite-rue Saint-Denis pour la section située entre les rues Norvins et Marcadet et chaussée Saint-Denis au-delà. Son nom actuel lui a été attribué en 1868.

Place Jean-Baptiste-Clément,
vue prise vers la rue Lepic (vers 1925).

———❖❖❖———

Place publique de Montmartre avant celle du tertre, elle se nommait en 1468 place du Palais, sans doute, écrit Jacques Hillairet, à cause de " quelque ruine antique, villa ou temple romain. " Non loin de là, entre les rues Lepic (n°95) et Norvins (n°11), un moulin, dit du Palais, fut construit en 1640 par le boulanger Nicolas Le Tellier. La guinguette qui lui était rattachée eut son heure de gloire au début du XVIIIème siècle.

Place Jean-Baptiste-Clément, vue prise vers le sud
et la rue Gabrielle (vers 1925).

———❖❖❖———

Jean-Baptiste Clément, qui fut maire du XVIIIème arrondissement pendant soixante-douze jours durant la Commune, habitait au n°112 de la rue Lepic (la grande maison à droite sur cette photo). Il était par ailleurs l'auteur de la célèbre chanson Au temps des cerises qu'il dédia plus tard " A la vaillante citoyenne Louise, ambulancière de la barricade de la rue de la Fontaine-au-Roi, le 28 mai 1871 ". Selon certaines sources, grâce à cette chanson, il aurait empoché la somme fabuleuse de 14 francs.

Impasse Trainée (devenue rue Poulbot), vue prise de la rue Norvins (vers 1933).

———◆◆◆———

Avant 1868, la rue Norvins, entre les rues du Mont-Cenis et des Saules, se nommait Trainée. Cette section était alors la rue principale du village de Montmartre. Quant à l'origine du nom, elle semble quelque peu confuse… peut-être s'agit-il d'une référence au nom ancien d'un piège à loup ?! Jules Dépaquit (1869-1924), premier maire de la Commune Libre de Montmartre, fut un des dessinateurs humoristes parmi les plus célèbres de la butte. *(pages 190 et 191)*

Impasse Trainée, vue prise vers la place du Calvaire lors du prolongement de l'impasse (vers 1933).

———◆◆◆———

Cette impasse est le dernier vestige d'une ruelle très escarpée qui conduisait non loin de l'actuelle rue de la Tour-des-Dames au moulin des Dames de Montmartre, édifice cité en 1316 et détruit en 1822. L'impasse Trainée a été rebaptisée rue Poulbot en 1967.

Rue de l'Abreuvoir, vue prise de la rue Cortot vers la rue Girardon (1933).

———◆◆◆———

Tout en bas de la rue à gauche, au n°15 (et n°16 rue Girardon), se trouve l'emplacement de l'abreu-voir du vieux village de Montmartre, utilisé autrefois par les troupeaux vivants sur la butte. La rue de l'Abreuvoir était déjà indiquée sur un plan de 1325 sous le nom de ruelle qui va au But, du nom de la fontaine située place Constantin–Pecqueur (cf. Paris Disparu page 276).

Rue Cortot, à gauche la rue des Saules (voir pages 197 et 198) (vers 1933).

———❖❖❖———

Au n°12 de la *rue Cortot* se trouve le plus vieil hôtel de Montmartre, construit dès le milieu du XVIIème siècle. Comédien spécialisé dans le répertoire de Molière au Théâtre de l'hôtel de Bourgogne, Roze de Rosimond en fit l'acquisition en 1680 comme maison de campagne. Comme son illustre mentor, il mourut – le 31 octobre 1686 – sur les planches en jouant… *Le Malade imaginaire.*

Rue des Saules (à gauche la rue Saint-Vincent), vue prise vers les rues Cortot et de l'Abreuvoir, à gauche l'emplacement actuel des vignes de Montmartre (vers 1933).

———❖❖❖———

Nous savons aujourd'hui que la vigne fut introduite en Gaule vers le début du IVème siècle avant notre ère et qu'elle était présente sur la butte Montmartre dès le Xème siècle, puisque le chanoine Frodoard (894-966) évoque dans ses *Chroniques* les dégâts que lui causèrent la trombe qui dévasta Paris en 944. Les Dames de Montmartre étaient propriétaires de la plus grande partie des vignes présentes sur la butte. Les amateurs seront sans doute heureux de connaître le nom de quelques crus du XVIIIème siècle : le *Haut-Coteau* (situé au nord de la place Saint-Pierre), le *Bas-Coteau* (non loin de la rue Gazotte), le *Montaigu* (près des réservoirs de Montmartre), le *Bel-Air* (place Jean-Baptiste Clément), *La Rochefoucault* (placé entre les rues Tardieu et d'Orsel) etc. Le Clos de Montmartre est la propriété de la ville de Paris depuis 1933.

N°1 rue Simon-Dereure et 13 rue Girardon, à gauche : le château des Brouillards (vers 1923).

❖❖❖

Photographie prise avant la formation en contrebas de la future place des Quatre-Frères-Casadesus. Edifiée en 1772, cette "folie" – une des deux construite sur la butte – ne fut pas, contrairement à la légende, édifiée pour l'écrivain Lefranc de Pompignan mais pour un avocat au parlement. On a longtemps rêvé sur l'origine de ce nom poétique, le château des Brouillards, il semblerait, suivant les dernières études, qu'il soit lié aux vapeurs d'eau nées de la sortie des sources avoisinantes au contact de l'air frais. Gérard de Nerval, qui y avait habité en 1846, écrivait huit ans plus tard dans l'Illustration : " Ce qui me séduit dans ce petit espace habité de grands arbres, c'était d'abord ce reste de vignoble lié au souvenir de saint Denis... C'était ensuite le voisinage de l'abreuvoir, qui le soir, s'anime du spectacle des chevaux et des chiens que l'on y baigne... admirable lieu de retraite, silencieux à ses heures... "

Carrefour de la rue des Saules et de la rue Saint-Vincent (en face) (vers 1933).

❖❖❖

A gauche, le cabaret du Lapin à Gill (cf. *Paris Sens-Dessus-Dessous*). Parmi les nombreuses anecdotes qui figurent au palmarès de l'endroit, il est amusant d'évoquer le canular de Roland Dorgelès et André Warnod. L'âne Lolo, pensionnaire du cabaret, fut photographié alors qu'il peignait une toile avec sa queue à laquelle ils avaient attaché un pinceau. Signé Boronali, cette peinture très abstraite fut envoyée au Salon des Indépendants sous le titre Et le soleil se coucha sur l'Adriatique où elle obtint les éloges de la critique. Lorsque la mystification fut révélée au public, une multitude de gens se ruèrent au Salon pour admirer cette œuvre exceptionnelle qui fut finalement vendue hors de prix à un amateur. *(pages 194 et 195)*

Rue des Saules, vue prise vers la rue Norvins (vers 1933)

❖❖❖

Au n°22 bis de la rue Norvins (les bâtiments et jardins à gauche sur ce cliché) se trouvait La Folie-Sandrin, maison de campagne construite en 1774. A compter de 1805, la " Folie " fut convertie en maison de santé pour aliénés sous la direction du Docteur Prost. De 1820 à 1847, date à laquelle il s'installa à Passy dans l'ancien hôtel de la princesse de Lamballe (cf. page 145), le docteur Sylvestre-Esprit Blanche lui succéda. Parmi les pensionnaires marquants qui vinrent se faire soigner ici, citons une ancienne demoiselle d'honneur de Marie-Antoinette qui était devenue folle de n'avoir pas pu épouser Robespierre, Jacques Arago alors auteur d'un livre de 62 pages ne comportant pas une fois la lettre A, et, à plusieurs reprises, Gérard de Nerval qui s'était fait remarquer en promenant, tenu en laisse, un homard vivant… *(Pages 196 et 197)*

**Allée des Brouillards et, à gauche,
le château des Brouillards (vers 1933).**

———◈◈◈———

La future place des Quatre-Frères-Casadesus, ancien-nement le 1 place Simon-Dereure, est désormais formée (cf. page 198). Le château des Brouillards était donc une " folie "… ce terme était appliqué, au XVIIIème siècle, aux petits hôtels que les gens riches faisaient aménager auprès de Paris afin de s'y ébattre librement… Il y en eut de célèbres, et plusieurs ont laissé leur nom aux quartiers construits depuis sur leur emplacement ou dans les environs : Folie-Méricourt, Folie-Beaujon, Folie-Regnault, etc.

**Avenue Junot, vue prise vers le sud-est
et le moulin de la Galette (vers 1924).**

———◈◈◈———

Au n°13 de cette avenue (cf. *Paris Disparu* page 281) encore dépourvue, ou presque, de constructions, quelques années après que fut prise cette photo-graphie, le dessinateur Francisque Poulbot (1879-1946), co-fondateur de la République de Mont-martre avec Willette et Neumont, fit construire une maison dont il décora la façade d'une frise de têtes de gosses en céramique… de têtes de poulbots pour être exact !

Cimetière Saint-Vincent, rue Lucien-Gaulard,
vue prise dans les hauteurs vers l'est (vers 1929).

———❖❖❖———

La plupart des tombes et caveaux apparaissant sur
cette photographie, des concessions perpétuelles,
sont encore debout aujourd'hui.

**Place Dancourt
(devenue la place Charles-Dullin),
le théâtre Montmartre
(devenu le théâtre de l'Atelier) (vers 1924).**

—◆◆◆—

Place principale de l'ancien village d'Orsel – principalement constitué à compter de 1820 - qui resta, jusqu'en 1838, indépendant de la commune de Montmartre. Dirigé par la famille Seveste, le théâtre Montmartre, construit dès 1822, eut rapidement la réputation d'être supérieur à tous ces concurrents situés en banlieue. Il devint le théâtre du Peuple en 1848 et fut démoli au début du siècle avant d'être finalement reconstruit en 1907. Rebaptisé théâtre de l'Atelier, il sera alors dirigé par le merveilleux comédien Charles Dullin (1885-1949). La place porte le nom de ce dernier depuis 1957.

N°16-18 cité du Midi (9 septembre 1966).

❖❖❖

Débouchant sur le boulevard de Clichy (n°48), cette discrète impasse privée est restée, depuis cette photographie, relativement préservée. Les bals de Montmartre étaient célèbres au XIXème siècle, tout particulièrement celui de la Reine Blanche (devenu le Moulin Rouge) que fréquentait Nana, la célèbre héroïne d'Emile Zola. Peu après 1900, le constat était rude, à quelques exceptions près, tels le bal Bullier, le Jardin de Paris et le Casino de Paris, ils sont des centaines à avoir disparu… Comme l'écrit Gustave Pessard : « la jeunesse a peu à peu abandonné ce genre de sport ».

Place Jules-Joffrin, façade de la mairie
du XVIIIème arrondissement (vers 1928).

——❖❖❖——

Formée en 1858, cette place a absorbée le carrefour
des rues Saint-Denis (du Mont-Cenis) et des Portes-
Blanches (Ordener), on lui attribuera bientôt le
nom de Sainte-Euphrasie. Elle sera rebaptisée de son
nom actuel en 1895. Inaugurée le 17 juillet 1892,
cette mairie remplaçait une précédente située place
des Abbesses. Son campanile a aujourd'hui disparu.

Place Jules-Joffrin,
église Notre-Dame-de-Clignancourt (vers 1928).

——❖❖❖——

Construite par Lequeux, cette église a été inaugurée le 29 octobre 1863. Restée dans la mémoire
de tous les vieux Parisiens, la ligne (n°12), était
alors nommée *Nord Sud*. Elle est longue de 13 kilomètres et 886 mètres et reliait déjà la Mairie d'Issy à
la Porte de la Chapelle. A cette époque la station
Corentin Celton se nommait *Petits Ménages*, et *Max
Dormoy* : *Torcy*.

N°75 rue Marcadet, à gauche le passage Ramey (vers 1929).

———❖❖❖———

Cet hôtel de la fin du XVIIIème siècle, en piteux état, a survécu aux pics des démolisseurs, par quel miracle ?... car il est en effet dans un état tout aussi lamentable de nos jours ! A noter : la présence d'un petit écolier « en action » dans le passage. *(Pages 204 et 205)*

N°71 rue Marcadet, l'hôtel Labat (vers 1928).

———❖❖❖———

Construit en 1663, l'hôtel Labat dominait une propriété de cinq hectares qui se situerait aujourd'hui dans le périmètre des rues Marcadet, des Poissonniers, Ramey et Doudeauville. A compter de 1910, cet hôtel devint une pension pour jeunes filles. Un immeuble moderne occupe aujourd'hui son emplacement.

**N° 103 rue Marcadet
et 63 rue du Mont-Cenis (à gauche)
(vers 1928).**

❖❖❖

Cette maison très ancienne, dont les origines
remontent sans doute vers la fin du XVème siècle,
était peut-être celle d'un colombier. Alors qu'elle
constitue, avec l'église Saint-Pierre, un des deux
plus vieux édifices de l'ancien Montmartre, elle
n'est aujourd'hui que pauvrement mise en valeur…

N°4 à 10 impasse Saint-François, vue prise non loin du n°50 rue Letort (15 décembre 1971).

———❖❖❖———

Du nom d'un propriétaire, cette voie privée comportait une autre section située du coté impair de la rue Letort (n°51), elle a été baptisée impasse Sainte-Henriette en 1953. Toute le coté pair de l'impasse Saint-François, que nous pouvons observer ici, a été démoli peu de temps après le passage du photographe.

Passage au n°17 de la rue de Clignancourt (12 octobre 1966).

———❖❖❖———

A cet emplacement se trouvait autrefois le bal Guillaume-Tell. Dans le Paris des XIème au XXème arrondissement, ce style de passage était très habituel (voir aussi page 22) et faisait partie de cette physionomie si particulière à laquelle les Parisiens étaient, depuis longtemps, attachés… aussi, leur destruction presque systématique depuis une trentaine d'année, comme cela a été le cas ici, a-t-elle modifié l'image même de la ville. Cependant, il faut souligner une importante prise de conscience de certains élus qui entraîne, depuis peu, la restauration de plusieurs passages dans le Faubourg Saint-Antoine.

N°96 rue de la Chapelle (actuel n°16), église Saint-Denis-de-la-Chapelle (vers 1928).

———❖❖❖———

Succédant à un oratoire puis à une chapelle consacrée à Sainte-Geneviève, une église, dont il subsiste quelques éléments, fut construite ici au début du XIIIème siècle. Elle fut endommagée gravement à plusieurs reprises, tout particulièrement par les Anglais et les troupes du roi de Navarre qui l'incendièrent en 1358. Décidée à libérer Paris, Jeanne d'Arc vint s'installer quelques jours dans le village de la Chapelle début septembre 1429. Par la suite, blessée lors de l'assaut raté de la porte Saint-Honoré, Jeanne vint souvent prier dans cette église. Conséquence d'un vœu fait en 1914, une basilique dédiée à Jeanne d'Arc a été construite ici sur plus de trente ans – la première pierre ayant été posée par l'archevêque de Paris en 1932 –, elle se situe sur la gauche de l'ancienne église, remaniée pour l'occasion. Trop détérioré, son clocher, une tour carrée construite en 1770, a par ailleurs été démoli en 1928.

209

**N°122 rue de la Chapelle (actuel n°42)
(angle avec la rue des Roses), la cour (vers 1930).**

———❖❖❖———

Non loin d'ici, à la limite nord de la rue de la Chapelle, s'est déroulé, six siècles durant, la foire du Lendit. Cette foire, dont les origines remontent à Dagobert, époque durant laquelle elle ouvrait annuellement le jour de la Saint Denis, accueillant les marchands venus de tous les horizons, eut une grande renommée vers le XIIIème siècle. Désormais d'une durée de quinze jours (au lieu de quatre semaines dans l'ancien temps) et se déroulant du premier lundi suivant la Saint Barnabé jusqu'à la Saint Jean, elle devint, surtout au moyen-âge, une sorte de foire officielle au parchemin. Si les commerces les plus variés s'y déroulaient effectivement, c'est ici que le recteur de l'Université de Paris venaient se fournir pour l'ensemble des collèges. C'était également l'occasion pour les écoliers d'y faire la fête et d'y semer un désordre tel que la foire fut finalement réinstallée à Saint-Denis en 1444 où elle se poursuivit jusqu'à la Révolution.

**N°122 rue de la Chapelle (actuel n°42),
à gauche la rue des Roses (vers 1930).**
———❖❖❖———

Peut-être s'agit-il ici de l'ancienne auberge Sainte-Geneviève qui servit de poste de commandement à l'état major du roi Joseph Bonaparte, lors des combats du 30 mars 1814. Cette immense bâtisse, y compris la cour (cf. page 211), a été détruite.

**N°13 et 15 rue des Roses (débouché de la rue
de la Madone) (janvier 1934).**
———❖❖❖———

Cette ancienne voie de la commune de la Chapelle se nommait rue des Orpheures (Orfèvres) avant d'être baptisée des Rosiers, de 1704 à 1867, du nom d'un lieu-dit situé vers son extrémité est. Toutes les bâtisses apparaissant sur cette photographie, y compris celle du n°13 remontant à Louis XIII semble-t-il, ont été détruites.

Rue des Roses (?) (1934).

———— ❖❖❖ ————

Indiquée par le photographe comme étant la rue des Roses… toutefois, nos repérages semblent vouloir invalider cette désignation.

Rue de la Madone, vue prise de la rue des Roses vers la rue Marc-Seguin (janvier 1934).

❖❖❖

Rue indiquée sur le plan de Roussel de 1730. Depuis le XIIème siècle, on avait coutume dans Paris et ses environs de placer dans des niches ou sur des piédestaux extérieurs, des statues de la Vierge, le plus souvent sous grillages – à compter du XVIème siècle – en raison des profanations. Non seulement on allumait la nuit une lampe devant la niche qui contenait la Madone mais on y suspendait aussi des ex-voto et on y attachait des fleurs. Les passants saluaient et faisaient le signe de la croix, les femmes et les enfants s'agenouillaient.

Accueillant un square en son centre, la rue de la Madone est aujourd'hui une vaste rue n'ayant plus le moindre trait commun avec l'ancienne. Seule subsiste une vague niche (différente de celle apparaissant sur cette photographie) sans Madone à l'angle – actuel ! – de la rue des Roses…

N°186 avenue Jean-Jaurès (vers 1929).

❖❖❖

Ancienne route d'Allemagne par Meaux, cette avenue débutait, en 1731, à un rond-point où aboutissait la rue de Crimée et l'actuelle rue de Meaux. En 1768 fut crée une nouvelle voie qui poursuivit en ligne droite la route d'Allemagne jusqu'à l'actuelle place de la Bataille de Stalingrad. Cette avenue a été successive- ment appelée grand chemin de Meaux, route de Meaux à Paris (1787), route de Pantin (1790), route d'Allemagne, route nationale n°3, rue d'Allemagne et enfin avenue Jean-Jaurès l'année même de son assas- sinat, en 1914. La section située au-delà de la place de la Porte-de-Pantin se nomme, depuis 1936, avenue de la Porte-de-Pantin. Tous les bâtiments apparaissant sur cette photographie ont été démolis.

N°24 à 20 rue de Thionville (5 mars 1971).

———◆◆◆———

Jusqu'en 1829, cette ancienne voie de la commune de la Villette se nommait chemin des Moines, elle était alors prolongée, au-delà du quai de Metz (ancien quai des Vidanges) par le chemin de Saverne, voie absorbée par le marché aux Bestiaux lors de sa réalisation, entre 1865 et 1868. La rue de Thionville a été prolongée jusqu'au quai de la Marne en 1974. Tous les bâtiments apparaissant sur cette photographie, y compris ceux de droite, ont été démolis.

XIXe ARRONDISSEMENT

Le paillasse.

N°128 à 124 rue d'Aubervilliers (10 mai 1972).

— ❖❖❖ —

A l'origine, cette ancienne voie des communes de la Chapelle et de La Villette était un chemin conduisant au village d'Aubervilliers. Dès 1730, elle était connue sous le nom de chemin de Notre-Dame-des-Vertus et, dix ans plus tard, comme chemin d'Aubervilliers. La première gare de l'Est fut installée rue d'Aubervilliers, non loin de la barrière des Vertus (boulevard de la Chapelle). Lorsque le premier train pour Meaux s'ébranla d'ici le 10 juillet 1849, la nouvelle gare de l'Est, ou embarcadère de Strasbourg, était en cours de construction, elle ne serait achevée qu'en décembre 1850. Toutes les maisons figurant ici ont disparues… tout comme les « sorties de wagons jour et nuit ».

N°80-82 rue d'Aubervilliers (10 avril 1968).

— ❖❖❖ —

Non loin de là, sur l'emplacement du n°104, se trouvait l'abattoir de la commune de la Villette qui disparu lors de l'ouverture des abattoirs de la Villette en 1868. Six ans plus tard furent achevés les bâtiments du Service Municipal des Pompes Funèbres qui cessa ses activités en 1999. Lorsqu'on y pénétrait, le spectacle était souvent étrange, surtout celui des nombreux cercueils dressés sur les rampes de chargement, tels des sarcophages égyptiens, attendant l'arrivée de leur nouveau locataire…

N°105 rue de Flandres, façade sur cour (vers 1928).

—❖❖❖—

Cette ancienne voie romaine qui menait à Senlis par Louvres était auparavant la rue principale de l'ancien village de La Villette. Placée sur l'axe de la Route Nationale n°2, elle fut le siège de scènes historiques les plus diverses comme le rappelle Jacques Hillairet : celles de l'aller-retour à Varennes de Louis XVI et sa famille les 20 et 28 juin 1791, celui de « l'entrée triomphale, le 25 novembre 1807, de la garde impériale revenant de la campagne de Prusse » et, « l'entrée non moins triomphale, le 31 mars 1814, des alliés ayant à leur tête le tzar Alexandre, le roi de Prusse et le prince Schwartzemberg représentant l'empereur d'Autriche. (…) » Les bâtisses apparaissant ici ont aujourd'hui toutes disparu.

N°112 rue de Flandres (vers 1929).

—❖❖❖—

Occupés par la fameuse fabrique des pianos Erard, les n°110 et 112 de la rue ont été largement modifiés, les bâtiments sur cour ont été restaurés (au second plan à gauche) et ceux, sur la rue, démolis.

**N°152 rue de Flandres (actuellement avenue)
(vers 1929).**

❖❖❖

Cette façade, Inscrite aux Monuments Historiques
(I.S.M.H.) s'orne toujours de ses deux bas-reliefs
apposés entre le premier et le second étage. Ils
symbolisent la Peinture et l'Architecture.

**N° 152 rue de Flandres (actuellement avenue),
cour et jardin (vers 1929).**

———❖❖❖———

Ce vieil hôtel particulier (Jacques Hillairet évoque à
cet emplacement l'hôtel du maréchal de France,
duc de Roquelaure – auquel succède son fils Gaston
– détruit en 1790 et remplacé par une raffinerie
d'huile ??), dont le fronton est orné d'un tympan
sculpté et d'une horloge, a été démoli.

N°77 et 79 quai de la Seine, angle avec la rue Duvergier (19 janvier 1966).

——❖❖❖——

Ce quai, formé en 1829, a été baptisé de Seine en 1857. Nommée rue Antoine-Reynier (propriétaire), lors de son ouverture en 1895, cette voie a reçu en 1899 celui du jurisconsulte Jean-Baptiste-Marie Duvergier (1792-1877) qui fut, entre-autres responsabilités, garde des sceaux (1869-1870) et sénateur. Si l'ancien bâtiment de La Belle Jardinière existe toujours au 2 rue du Pont-Neuf, ce n'est plus le cas de ses prix imbattables ainsi que de tous les immeubles au premier et second plan sur ce cliché.

N°26 à 30 avenue du Pont-de-Flandre (devenue avenue Corentin-Cariou), l'entrée des abattoirs de la Villette (vers 1929).

——❖❖❖——

Construits entre 1865 et 1868 d'après les plans de l'architecte Victor Baltard (1805-1874), les abattoirs de la Villette (créés en remplacement des abattoirs de *Montmartre*, de *Grenelle*, de *Ménilmontant*, de *Ville-*juif et *du Roule*) et le marché aux bestiaux (en remplacement des marchés de *Sceaux*, de *Poissy* et de la *Halle aux Veaux* (cf. *Paris Sens-Dessus-Dessous*) s'étendaient sur une surface occupée aujourd'hui par la *Cité des Sciences et de l'Industrie*, la *Géode*, la *Grande Halle de la Villette*, la *Cité de la Musique* etc. Sur plus de 19 hectares les abattoirs employaient 1200 bouchers qui tuaient la nuit et débitaient la viande le jour.

N°85 à 91 rue Petit (14 juin 1967).

———❖❖❖———

Cette ancienne voie des communes du Prés-Saint-Gervais et de La Villette résulte du rattachement en 1865 de la rue du Dépotoir – ouverte en 1850 entre les rues de Meaux et du Hainaut – et de la section du chemin du Pré-saint-Gervais située entre la rue du Hainaut et le boulevard Sérurier. Cette rue porte le nom du général Jean-Martin Petit (1772-1856) qui commandait, à Fontainebleau, les soldats de la vieille garde auxquels Napoléon fit ses adieux lors de sa première abdication·

Le bassin de La Villette et la Rotonde, vue prise vers le sud-ouest (juin 1934).

———❖❖❖———

N°202 boulevard de La Villette (actuellement place de la Bataille-de-Stalingrad), la Rotonde de La Villette (juin 1934).

———❖❖❖———

Dans la continuité du mur des Fermiers-Généraux, qui passait alors boulevard de La Villette et boulevard de La Chapelle, l'architecte Ledoux édifia ici en 1789 la barrière Saint-Martin. Elle se composait de plusieurs bâtiments, reliés par des grilles, dont le plus important était alors une rotonde. Au sud, elle était reliée à la barrière de Pantin, située face à la route d'Allemagne (avenue Jean-Jaurès), et, au nord, à la barrière de La Villette, située, elle, face à la route de Flandre (avenue de Flandres). Restaurée à plusieurs reprises, la rotonde de La Villette est actuellement occupée par le musée archéologique du département de la Seine et par la Commission du Vieux Paris. Des « propylées » construites par Ledoux, il ne subsiste aujourd'hui que les rotondes du parc Monceaux et de La Villette et les pavillons des places de la Nation et Denfert-Rochereau. *(Pages 222 et 223)*

Rue d'Alsace-Lorraine, vue prise vers la rue
Manin, à gauche, la future rue de la Prévoyance
(8 avril 1929).

—❖❖❖—

Cette rue, ouverte en 1889, traverse une partie des anciennes carrières d'Amérique dont on extrayait le plâtre à destination, pour une grosse partie, des Etats-Unis. Ces immenses carrières à ciel ouvert furent également le refuge de nombreux malandrins et criminels. La rue d'Alsace-Lorraine croise l'ancien sentier des Mignoles qui desservait encore en 1869, depuis la rue des Mignoles, certains secteurs des carrières.

Rue d'Alsace-Lorraine,
vue prise non loin de la rue de la Solidarité vers
la place de Rhin-et-Danube (8 avril 1929).

— ❖❖❖ —

L'ensemble des rues comprises dans l'ancien secteur
des carrières d'Amérique délimité par la rue Manin,
la rue des Carrières-d'Amérique, le boulevard Sérurier, la rue du Général-Brunet et la rue David-d'Angers ont toutes été ouvertes en 1889 mais n'ont été
cependant classées qu'entre 1927 et 1933.

Rue de la Solidarité, vue prise à la hauteur de
la rue Alsace-Lorraine vers la rue David-d'Angers
(8 avril 1929).

❖❖❖

Il semblerait que cette rue, ouverte en 1889, a été
ainsi baptisée par les propriétaires des terrains en
souvenir de leur association.

N°53 et 55 rue des Bois, vue prise vers le boulevard Sérurier et l'église Sainte-Marie-Médiatrice (1er mars 1967).

—❖❖❖—

Cette ancienne voie de la commune de Belleville était déjà indiquée en 1730. Elle doit son nom au bois des Rigones situé dans ce secteur au XIVème siècle. Les éditions Dupuis, qui lancèrent le 21 avril 1938 le célèbre journal belge *Spirou*, ont été installées de janvier 1956 à 1957 au n°27 de cette rue. Toute les maisons apparaissant sur ce cliché ont été détruites.

N°7 à 13 rue Delouvain, vue prise vers la rue Lassus et l'église Saint-Jean-Baptiste-de-Belleville (9 mars 1965).

—❖❖❖—

Cette ancienne voie de la commune de Belleville a été ouverte en 1840. Elle doit son nom au propriétaire la première mairie de la commune de Belleville installée au 141 rue de Belleville (angle avec la rue de Palestine) de 1790 à 1847. Elle fut transférée à cette date au n°136, dans l'ancienne maison seigneuriale de l'abbaye de Saint-Victor. Transformée en guinguette sous la Restauration, elle se nommait l'Île d'Amour, du nom de son premier propriétaire, Damour, et du fait qu'elle était entourée, sur trois cotés, par un large fossé.

**N° 33 à 37 rue des Lilas, vue prise vers
la rue Mouzaïa, à gauche, la rue de Bellevue
(30 avril 1973).**

❖❖❖

Cette ancienne voie de la commune de Belleville
est sur le tracé du sentier du Bois-de-l'Orme que
l'on trouvait indiqué sur un plan de 1730. Elle fut

baptisé de son nom actuel en 1845, en hommage à
la commune voisine des Lilas. Situé dans les
hauteurs de Belleville, sur la butte de Beauregard
autrefois couronnée par de nombreux moulins, le
café-hôtel des Alpes – le nom ne pouvait être mieux
choisi – a disparu, tout comme le reste de ce pâté
de maisons.

N°213 rue de Belleville : " le regard de la Lanterne " (28 juillet 1924).

——❖❖❖——

Situé, il y a encore quelques décennies, au fond et à droite d'une impasse, "le regard de la Lanterne" était à la tête de l'aqueduc de Belleville. Sur la montagne de Belleville, en raison d'un sol sablonneux recouvrant une terre glaise que l'eau ne pouvait pénétrer, les moines disposant de ces terrains décidèrent de canaliser les ruissellements d'eau et les diriger vers des bassins d'où partiraient des aqueducs conduisant à leurs monastères. Ces aqueducs étaient ponctués de " regards ", petites bâtisses comme celleci destinées à surveiller ou à modifier l'écoulement de l'eau. D'abord destinée aux plus nantis, cette eau fut bientôt, sur une décision du roi Philippe Auguste, en partie dirigée vers plusieurs fontaines publiques. Construit entre 1583 et 1613 comme l'indique une inscription située à l'intérieur, ce " regard " est classé monument historique… ce qui n'était pas le cas des nombreuses bâtisses avoisinantes qui ont toutes été détruites. Ce vestige trône désormais au milieu d'un modeste petit square.

Rue du Soleil, vue prise de la rue de Belleville (février 1933).

— ❖❖❖ —

Rue ouverte en 1883, elle se finissait alors en impasse avant d'être finalement raccordée à la rue de Pixé-récourt. Un peu plus à l'ouest, du n°160 au 174 se trouvait le couvent des moines de Picpus de Belleville dont les origines remontent au début du XVIIème siècle. Il fut fermé puis détruit pendant la Révolution (la chapelle ne fut démolie qu'en 1808). Actuellement, les rues Levert, Olivier-Métra et Frédéric-Lemaître se trouvent sur son emplacement.

N°228 rue de Belleville (1933).

———❖❖❖———

Toute la section de la rue de Belleville, de la rue Levert au boulevard Sérurier, a beaucoup souffert durant les trente dernières années, et, rares sont les maisons anciennes ayant échappé au pic des démolisseurs… alors, sans doute est-il superflu de préciser ce qu'il est advenu de ce modeste jardin.

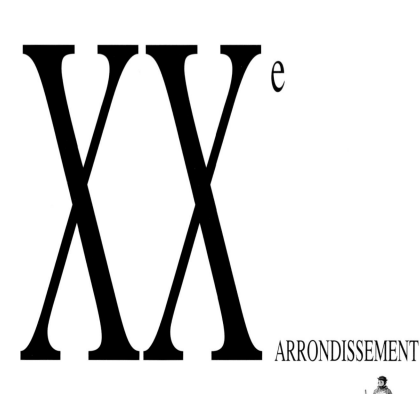

ARRONDISSEMENT

Étameur et fondeur de cuillers.

Rue de Belleville, vue prise à la hauteur
de la rue du Soleil vers la rue de Pixérécourt
(février 1933).

—❖❖❖—

Cette ancienne voie de la commune de Belleville était
déjà indiquée en 1670. Les parisiens ont longtemps
pu remonter cette rue, du boulevard de Belleville à
l'Eglise Saint-Jean-Baptiste, grâce à un funiculaire
dont l'inauguration avait eu lieu le 27 mai 1891.
Composé d'une voiture unique, il circulait au centre
de la rue, les rails étant doublés par endroits pour
permettre au " montant " de croiser le " descendant ".
A l'exception d'une maisonnette, toutes les bâtisses
apparaissant sur cette photographie ont été détruites.

Rue de Belleville, vue prise à la hauteur de
la rue de Pixérécourt vers la rue Pelleport (1933).

❖❖❖

Aujourd'hui très élargie et débarrassée de la
majeure partie de ses maisons anciennes, il est
impressionnant de constater, au vu de cette série de
documents (pages 231 à 237), à quel point la rue de
Belleville a changé de physionomie, tout du moins
dans cette partie de la rue.

Rue de Belleville, vue prise (dans le sens opposé à la précédente) à la hauteur du n°230 vers la rue de Pixérécourt (1933).

———❖❖❖———

Durant des siècles, les coiffeurs ont dépendu de la corporation des barbiers. Cette appartenance était jugée très déplaisante au vu des boutiques de certains barbiers… Jean-Sébastien Mercier nous en a livré, peu avant la Révolution, une description tout à fait pertinente : " Imaginez tout ce que la mal-propreté peut assembler de plus sale. Les carreaux des fenêtres, enduits de poudre et de pommade, intercepte le jour ; l'eau de savon a rongé et déchaussé le pavé ; le plancher et les solives sont imprégnés d'une poudre épaisse ; les araignées pendent mortes à leur longues toiles blanchies, étouffée en l'air par le volcan éternel de la poudrerie. " (*Tableau de Paris*, tome VI page 46).

Rue de Belleville, vue prise à la hauteur (à gauche) de la cité Lemière (devenue rue du Docteur-Potain) légèrement en retrait de la photo page 233 (1933).

❖❖❖

A gauche, la publicité pour une Auto Ecole située 277 rue des Pyrénées rappelle que la délivrance de certificats de capacité, autrement dit le permis de conduire, fut institué par l'article 11 du décret du 11 mars 1899 ! Comme le précise le *Larousse mensuel illustré* n° 14 d'avril 1908 : " Aux termes de l'article 13 de la loi de finances du 31 décembre 1907, les examens de conducteurs de véhicules automobiles auxquels il est procédé par les ingénieurs des mines ou par leurs délégués en vue de la délivrance des certificats de capacité donnent lieu à la perception d'un droit de 20 francs par examen. " La cité Lemière a reçut en 1935 le nom du Docteur Pierre-Carl-Edouard Potain (1825-1901), un clinicien éminent auteur de recherches importantes sur les maladies du cœur.

N° 238 rue de Belleville, vue prise depuis le premier étage du n° 233 (1933).

N° 238 rue de Belleville, façade postérieure, allée d'accès et jardins (1933).

A cette hauteur, la rue de Belleville n'était autrefois qu'un modeste sentier qui aboutissait au parc du Château de Ménilmontant. Ce chemin le contour-nait alors suivant le tracé actuel de la rue de Romainville. En 1763, la commune de Belleville aliéna cette section du parc afin de permettre à la rue de se poursuivre en droite ligne. Cette ultime partie de la future rue de Belleville, de la rue Compans au boulevard Sérurier, sera baptisée rue du Parc.

**Cité des Rigoles, 48-50 rue des Rigoles
(15 avril 1971).**

❖❖❖

Ancienne voie privée de la commune de Belleville, la rue des Rigoles était déjà signalée au XIVème siècle. Elle fut nommée successivement sentier des Rigolles, Rigaunes, Rigollets, Rigone, avant d'être indiquée, en 1730, sous le nom de ruelle des Rigoles. La cité des Rigoles et son environnement immédiat ont aujourd'hui disparu.

**N°25 à 31 rue des Cascades, vue prise vers
l'actuelle rue Fernand-Raynaud
(27 avril 1966).**

——❖❖❖——

Cette ancienne voie de la commune de Belleville se
nommait, en 1812, sente des Musardes. Devenue une
rue en 1837, elle sera baptisée de son nom actuel

trente ans plus tard, appellation dû au voisinage
d'une cascade amenant les eaux de Belleville au
regard Saint-Martin (cf. page 230) situé au n°40 et
42. Le regard des Messiers, bâti dans le même style
que le premier, se trouve en contrebas d'un jardin
au n°17. Les maisons figurant sur cette photographies ont toutes été détruites.

**N°60 à 52 rue de Ménilmontant, vue prise
vers la rue des Amandiers (1er mars 1968).**

——❖❖❖——

Les origines de cette ancienne voie de la commune
de Belleville remontent aux débuts du XIIIème siècle,
période durant laquelle cette rue n'était qu'un
petit chemin conduisant à un hameau entourant

une villa ou " mesnil ". Un peu en contrebas se
trouvait le bal des Barreaux Verts, guinguette de
bonne réputation où un cavalier souhaitant danser
avec une dame devait lui présenter une rose et
celle-ci, la placer à son corsage en cas d'accord…
toute une époque. Tous ces immeubles ont été
démolis.

**Rue des Plâtrières, vue prise de la rue Sorbier
vers la rue des Amandiers (1er mars 1968).**

—❖❖❖—

Dans la partie qui rejoint la rue des Amandiers, cette rue se nommait à l'origine impasse des Carrières. Belleville fut longtemps réputé pour ses carrières de gypse qui, calciné et broyé, devient du plâtre. Cette exploitation remontait sans doute au haut moyen-âge, période durant laquelle les carrières étaient à ciel ouvert. La dernière plâtrière de Paris, celle du Père Rousset, située en bordure du boulevard Mortier, a cessé son activité vers 1880. La plus grande partie de cette rue a été détruite.

**N° 12 et 14 rue Juillet, vue prise vers
la rue Sorbier (1er mars 1970).**

—❖❖❖—

Cette ancienne voie de la commune de Belleville aboutissait, jusqu'en 1876, dans la rue de Ménil-montant, l'ouverture de la rue Sorbier la privant de ce débouché. C'est précisément à cet endroit que l'effondrement d'une carrière fit sept victimes et entraîna la fermeture de toutes les exploitations souterraines des plâtrières de Belleville. Toute cette section pair de la rue a été démolie.

Passage Benjamin-Pagnol (disparu), vue prise depuis le 139 avenue Gambetta
vers le 104 rue Pelleport (15 mars 1968).

———❖❖❖———

Passage Benjamin-Pagnol (disparu), vue prise
vers le 104 rue Pelleport (15 mars 1968).

———❖❖❖———

Récemment disparue, cette voie privée, ouverte
sans doute peu après la première guerre mondiale,
devait son nom au fils du syndic de la Ville de Paris
mort pour la France en 1918.

**N°3 à 11 rue du Groupe-Manouchian,
vue prise vers la rue du Surmelin (15 avril 1971).**

❖❖❖

Réunion de l'impasse Fleury – elle débutait rue
Saint-Fargeau puis traversait l'avenue de la République (Gambetta) – et de l'impasse du Progrès, qui
commençait 31 rue du Surmelin, cette rue doit son
nom au groupe de résistants Manouchian. Ses vingt-
deux membres furent fusillés par les Allemands en
mars 1944 à grand renfort de " publicité ".

N°5 rue Saint-Blaise,
la cour d'un hôtel Louis XV (1929).

—❖❖❖—

Au moyen âge un bon lit se composait d'une paillasse (foin et paille), d'un matelas (laine et coton), d'un lit de plumes (ou couette), d'un traversin (duvet), d'un oreiller (duvet), de draps et parfois d'une couverture... Les habitudes n'avaient guère changé avant la guerre, les méthodes non plus comme en témoigne cette " matelassière ", petit métier souvent en exercice dans les cours du vieux Paris.

Villa Souchet, vue prise de la rue Orfila vers
l'avenue Gambetta (15 décembre 1971).

—❖❖❖—

Cette voie privée, dont une courte section finissant en impasse – débutant avenue de la République (Gambetta) – existait sur le plan du préfet Poubelle (1888), a, sans doute, été ouverte peu avant 1914. L'imposant immeuble au fond (un bâtiment appartenant à l'hôpital Tenon) comme toutes les maisonnettes à droite ont été détruits. *(pages 243 et 244)*

N°5 rue Saint-Blaise,
la cour d'un hôtel Louis XV (1929).

—❖❖❖—

Ce petit hôtel (voir aussi ci-dessus), de la moitié du XVIIIème siècle, appartenait à une série de pavillons dont Nicolas Le Camus de Mézières, architecte de la Halle aux blé, était propriétaire dans ce quartier. Il a été détruit en 1929...

Rue Saint-Blaise, vue prise à l'angle de la rue Vitruve vers l'église Saint-Germain-de-Charonne (29 septembre 1964).

❖❖❖

Avec ses petits commerces, sa sérénité et son église provinciale, voici, sans doute, une des images parmi les plus caractéristiques des anciens " villages " de Paris, tels qu'ils existaient encore il y trente ans. Exceptionnellement, cet îlot du quartier de Charonne a plutôt bien survécu au raz de marée des modernistes assoiffés du sang des vieilles pierres parisiennes... Ancienne voie de la commune de Charonne.

Place Saint-Blaise, vue prise de la rue Saint-Blaise
vers l'église Saint-Germain-de-Charonne
(vers 1929).

—❖❖❖—

Une curieuse image fantomatique due à une inver-
sion de la plaque photographique avec les années.
La maison située à gauche du parvis a été démolie.

246

N°48 rue de la Justice (14 juin 1967).

———❖❖❖———

Cette ancienne voie de la commune de Charonne se nommait sentier des Vaches avant d'être rebaptisée en 1877 en souvenir des gibets de la justice de la seigneurie de Charonne qui se dressaient entre le parc de Ménilmontant et les lieux-dits *Montibeuf* et les *Gouvieux*. Un court tronçon, nommé également de la Justice – il relie les 27-31 de la rue au 67-71 boulevard Mortier –, a été ouvert en 1935.

N°17 à 35 rue du Repos, vue prise vers la rue Pierre-Bayle (17 novembre 1964).

———❖❖❖———

Nommée rue Saint-André vers la fin du XVIIème siècle, elle débutait autrefois rue de la Folie-Regnault et suivait le tracé de la rue de la Roquette. Elle doit son nom au voisinage du cimetière de l'Est, ouvert le 1er prairial de l'an XII (21 mai 1804), devenu, après plusieurs agrandissements, le cimetière du Père-Lachaise. La rue Pierre-Bayle se nommait en 1731 rue des Rats-Popincourt puis rue des Rats… Les n°25 à 31 de cette rue ont été détruits en 1966-1967.

**N°10 à 16 passage Dieu,
vue prise de la rue des Orteaux (19 janvier 1966).**

❖❖❖

Nommée impasse Dieu en 1867, impasse des Haies en
1876 puis finalement passage Dieu à partir de 1898,
cette voie privée ne doit pas son nom au voisinage de
l'impasse Satan mais à celui d'un propriétaire…

Passage Dieu, vue prise vers l'impasse Saint-Paul
(19 janvier 1966).

———❖❖❖———

La majeure partie des maisons du passage ont été
restaurées au cours de ces dernières années.

**Impasse Satan, vue prise de la rue des Vignoles
(19 janvier 1966)**

——— ❖❖❖ ———

Impasse Satan (19 janvier 1966).

——— ❖❖❖ ———

Voie privée ouverte en 1898, l'impasse Satan doit
son nom au voisinage du passage Dieu… Il lui fut
attribué en 1907 par un propriétaire pour le moins
malicieux. Cette proximité doit cependant déplaire
à certains puisque aucune plaque de la ville n'indique aujourd'hui le nom de l'impasse. Le coté
impair a entièrement été démoli.

Passage Fréquel,
**vue prise de la rue de Fontarabie vers la rue Vitruve
(5 novembre 1971).**

❖❖❖

Déjà indiqué en 1869, le passage Fréquel doit son nom à celui d'un propriétaire. Son coté pair (à gauche) a été totalement démoli.

N°1 à 19 impasse des Orteaux, vue prise vers la rue des Orteaux (23 mars 1966).

—❖❖❖—

Voie privée ouverte en 1860 sous le nom d'impasse Madame. Souhaitant éviter le village de Charonne lorsqu'elle se rendait de Paris à son château de Bagnolet, la duchesse d'Orléans fit percer vers 1720 au milieu des cultures de Charonne une large route que l'on nomma alors avenue de Madame. Cette dernière devint ensuite la rue de Madame avant qu'on lui attribue vers la fin de l'année 1869 son nom actuel de rue des Orteaux. Il ne subsiste aucune construction ancienne dans l'actuelle impasse des Orteaux.

N°98 à 102 rue de Buzenval, vue prise de la rue des Vignoles vers la rue de Terre-Neuve (1er septembre 1969).

—❖❖❖—

Cette section de la rue était indiquée dans un plan de 1812 sous le nom de passage Papier. Elle a pris son nom actuel en 1893. Le hangar du chocolat Cémoi et les petites bâtisses situées dans son prolongement ont été démolies.

**N°8 à 12 impasse Rolleboise (et 14 à 18 rue Planchat),
vue prise de la rue des Vignoles (5 mars 1973).**

—❖❖❖—

Voie privée indiquée dans le plan de 1888 du préfet
Poubelle. Elle doit son nom au village natal (Seine-et-
Oise) de l'un des propriétaires. Cette photographie
représente une des rares voies parisiennes, parmi
celles que nous vous avons présenté dans cet ouvrage,
encore à peu près intacte de nos jours. Aussi modeste
soit-elle, cette impasse fera office de conclusion, cette
fois empreinte d'un relatif optimisme...

LA BANLIEUE DE PARIS

❖❖❖

Recueil d'images d'un autre temps

254

Comme l'écrit avec émotion Alain Blondel dans l'ouvrage qu'il a consacré avec Laurent Sully Jaulmes à la banlieue de Paris (*Un siècle passe, 39 photos-constats*, Ed. Carré, Paris 1994) – un témoignage photographique profondément traumatisant –, "Dans sa diversité, avec ses terrains vagues, ses puces, ses ateliers d'artisans divers, de garagistes, de réparateurs en tout genre, la campagne encore proche avec ses maraîchers, ses zones pavillonnaires qui sentaient bon le lilas et le seringa, ses jardins ouvriers le long des voies ferrées, ses parcs et ses bois dans l'ouest opulent, ses maisons d'artistes à Boulogne, à Sèvres, à ville d'Avray, cette banlieue reste chère à ceux qui l'on connue avant 1960. "

Désormais le décor d'un nouveau monde est planté et le massacre de la banlieue se termine, ou presque... aussi, avons-nous choisi de ne vous proposer qu'un album-souvenir, sans commentaires.

Chatillon.

❖❖❖

Vue sur Bagneux (vers 1925). *(Pages 254 et 255)*

Chatillon.

❖❖❖

Façade de la mairie (vers 1926).

Bagneux.
—❖❖❖—
Vue de la rue des Fossés (vers 1925).

Chevilly-Larue.
—❖❖❖—
L'église et propriété du 3 rue Henri-Crété.

Sceaux.
—❖❖❖—
(Pages 258 et 259)

Issy-les-Moulineaux.
❖❖❖
L'église et la rue Etienne-Dolet (1er juillet 1925).

Arcueil.
❖❖❖
Rue Montmort, portes du couvent des Dames-de-Montmort (vers 1925).

Colombes.

L'église, vue du boulevard de Valmy (vers 1928).

Fresnes.
———❖❖❖———
Grande rue et chevet de l'église (vers 1928).

Fresnes.
—❖❖❖—
Rue de Tourvay et l'église (sans date)

Pantin.
—❖❖❖—
Canal de l'Ourq, vue sur les moulins de Pantin
(Septembre 1927). *(Pages 264 et 265)*

Pantin.
—❖❖❖—
Angle des rues de Montreuil et des Pommiers,
vue sur le fort de Romainville (septembre 1927).
(Pages 266 et 267)

Le Raincy.

——❖❖❖——

Pavillons à l'entrée de l'ancien château de Raincy
(sans date). *(Pages 268 et 269)*

Pavillons-sous-Bois.

——❖❖❖——

Vue du canal de l'Ourq (vers 1928).
(Pages 270 et 271)

Saint-Maur-des-Fossés.

——❖❖❖——

Angle des rues du Four et de Martinvelle (?)
(sans date).

Saint-Maur-des-Fossés.

———❖❖❖———

Parvis de l'église vue du porche (vers 1928).

Bonneuil.

———❖❖❖———

Cour de ferme et l'orme de Saint-Louis
(vers 1927). ***(Pages 274 et 275)***

Joinville-le-Pont.

———❖❖❖———

Vue de l'île Fanac prise du pont (sans date).
(Pages 276 et 277)

Créteil.

━━━ ❖❖❖ ━━━

Le bras du chapitre devant les guinguettes
(vers 1927) *(Pages 278 et 279)*

Orly.

━━━ ❖❖❖ ━━━

Rue Greneta, vue prise vers le chevet de l'église
(sans date).

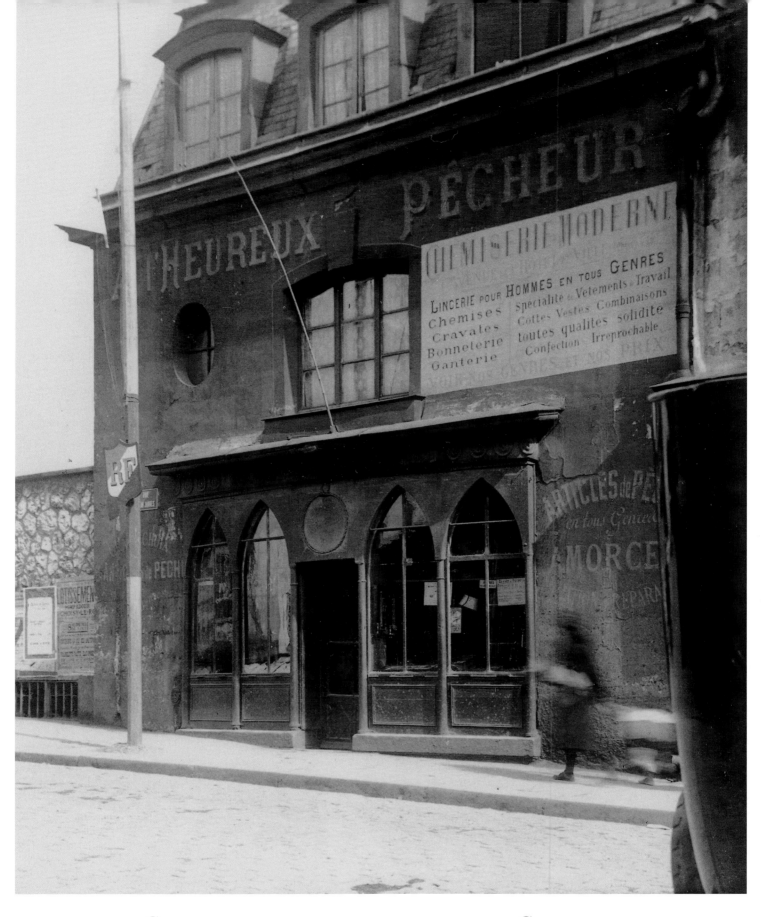

Choisy-le-Roi.
❖❖❖
Boutique rue Jean-Jaurès (vers 1926).

Choisy-le-Roi.
❖❖❖
2 rue Rollin-Régnier, la maison de Danton
(vers 1926) *(Pages 282 et 283)*

Orly.

✦✦✦

Rue Paruseau, au fond le vieux lavoir
(sans date).

Gentilly.
❖❖❖

La maison de Victor-Hugo, son chien, son coq, ses poules…
(vers 1921).

285

INDEX DES PHOTOGRAPHIES

BIBLIOGRAPHIE

"Dictionnaire historique des rues de Paris"
Par Jacques Hillairet, Les Editions de Minuit,
Paris, 1985.

"Nouveau dictionnaire historique de Paris"
Par Gustave Pessard, Eugène Rey, Libraire,
Paris, 1904.

"Evocation du vieux Paris, Les Villages"
Par Jacques Hillairet, Les Editions de Minuit,
Paris, 1954.

"Guide officiel des Autobus-Tramways & bateaux"
Société des transports en commun de la région
parisienne, Paris, sd (vers 1930).

"Atlas du Bottin 145ᵉ année"
Annuaire du Commerce Didot-Bottin,
Paris, 1942.

"Les églises de France, Paris et la Seine"
Letouzey et Ané, Paris, 1936.

"Miss Howard, la femme qui fit un empereur"
Par Simone André-Maurois, Gallimard,
Paris, 1956.

"Nomenclature des voies publiques et privées",
7ᵉᵐᵉ édition, Imprimerie Municipale – Hôtel de
Ville, Paris, avril 1951.

"Dictionnaire historique des arts, métiers et professions exercés dans Paris depuis le treizième siècle"
Par Alfred Franklin, H. Welter Editeur,
Paris et Leipzig, 1906

"Histoire des fortifications de Paris et leur extension en Île de France"
Par Guy le Hallé, Editions Horvath,
Lyon, 1995 (2ᵉᵐᵉ édition).

"Administration de la ville de Paris et du département de la Seine"
Par Henri de Pontich, Librairie Guillaumin
et Cie, Paris, 1884.

—❖❖❖—

SOMMAIRE

—❖❖❖—

REMERCIEMENTS

Laurent **BONNEL**, Alain **BOURGEOIS**, Marie **BRENDEL**, Anne **DUGAST**, Jean-Marie **EMBS**,
Michel **FLEURY**, Jean-Luc **GODARD**, Stefano **LAMPERTI**, Gérard **LATTES**, Claude **MOLITERNI**,
Laurent **TURPIN**, et en respectueux hommage à Jacques **HILLAIRET**.

288